BOILEAU

L'ART POÉTIQUE

avec une Notice biographique, une Notice historique et littéraire, un Lexique, un Index, des Notes explicatives, une Documentation thématique, des Jugements, un Questionnaire et des Sujets de devoirs,

par
GUY RIEGERT
Professeur à l'Institut français de Naples

LIBRAIRIE LAROUSSE
17, rue du Montparnasse, et boulevard Raspail, 114
Succursale : 58, rue des Écoles (Sorbonne)

RÉSUMÉ CHRONOLOGIQUE DE LA VIE DE BOILEAU 1636-1711

1636 (1er novembre) — **Naissance à Paris de Nicolas Boileau-Despréaux.** Il est le quinzième enfant de Gilles Boileau, greffier de la Grand-Chambre au parlement de Paris.

1638 — Mort de sa mère, Anne de Niélé (ou Nyélé), qui était la seconde femme de Gilles Boileau.

1648 — Boileau est atteint de la maladie de la pierre. Commence ses études au collège d'Harcourt et les poursuit au collège de Beauvais, à Paris.

1652 — Commence ses études de **théologie** et de **droit.**

1655 — Il compose une *Ode contre les Anglais.*

1656 (4 décembre) — Boileau est **reçu avocat** au parlement de Paris, mais la profession ne l'intéresse pas.

1657 (2 février) — Mort de son père. Il **renonce au Palais** et entreprend la composition de ce qui, remanié, deviendra la *Satire première* (Contre les mœurs de Paris).

1659 — Son frère Gilles, qui vient d'être élu très jeune à l'Académie française, l'introduit dans les cercles de l'abbé d'Aubignac et de l'abbé de Marolles.

1663 — Ulcéré de ne pas figurer avec son frère sur la liste des auteurs gratifiés par le roi, Boileau compose la *Satire VII* (contre Chapelain et les poètes qui reçoivent des gratifications). Elle obtient un grand succès. *Stances à Molière;* imprimées dans les *Délices de la poésie galante.*

1664 — Boileau écrit les *Satires II, IV, V* et *VI* et le *Discours au roi.* Il rencontre Molière.

1665 — **Satire III.** Boileau participe sans doute à deux parodies collectives : *le Chapelain décoiffé* et *Colbert enragé.* Il se brouille avec son frère Gilles.

1666 — Première édition du ***Discours au roi*** et des **sept premières *Satires*** (privilège du 6 mars). ***Dialogue des héros de roman.***

1667 — Écrit la *Satire IX* pour répondre aux attaques déchaînées contre lui par son livre. *Satire VIII, « De l'homme ».* Reçu chez le premier président de Lamoignon, il assiste aux séances de la petite académie.

1668 — **Publication** à part des ***Satires VIII*** et ***XI,*** suivies du ***Discours sur la Satire.*** Boileau rencontre Antoine Arnauld, avec qui il se liera d'une étroite amitié.

1669 — Mort de Gilles Boileau, avec qui le poète s'est réconcilié.

1670 — Entreprend l'*Épître III* (terminée en 1672). **Publie l'*Épître première,*** suivie de la fable ***l'Huître et les voleurs.***

1671 — **Publie l'*Arrêt burlesque*** (en août), contre l'aristotélisme de la Sorbonne.

1672 — Lit chez le cardinal de Retz des passages de son ***Art poétique*** et du *Lutrin* (9 mars). **Publication** à part de l'***Épître IV*** **(Sur le passage du Rhin).**

1673 — **Épître II.**

1674 — Boileau est **présenté au roi** (janvier), qui lui accorde une pension de 2 000 livres.
Publication des *Œuvres diverses,* in-4° (10 juillet) : *Satires première à IX, Épîtres première à IV, l'Art poétique,* chants premier à IV du *Lutrin,* traduction du *Traité du sublime* de Longin.
A la fin de l'année, **publication de l'*Épître V*** (« A M. de Guilleragues »).

1675 — Compose l'*Épître IX*, « Au marquis de Seignelay », le fils de Colbert (l'honnête homme et la vérité).

1677 — **Épître VII,** « A M. Racine » (février). Boileau prend parti pour Racine dans la querelle de *Phèdre*. En juillet, Boileau part pour la campagne, près de La Roche-Guyon, où il travaille à l'*Épître VI*, « A M. de Lamoignon » (le fils du premier président). Le roi fait verser 6 000 livres de pension annuelle à **Boileau** et à **Racine** qui deviennent **historiographes du roi** (octobre).

1678 — **Épître VIII,** « Au roi », pour le remercier.

1681 — Accompagne Louis XIV pendant la campagne d'Alsace.

1683 — Nouvelle édition des œuvres (seuls sont **inédits** les deux derniers chants du ***Lutrin*** et les ***Épîtres VI à IX***).

1684 — Élection à l'Académie française (17 avril). Boileau prononce son discours de réception le 1er juillet.

1685 — Entre à l'Académie des inscriptions et médailles. Il achète à Auteuil (à l'emplacement de l'actuelle rue Boileau) une maison avec un jardin (août), où il se plaira à recevoir ses amis.

1687 — Boileau réagit vivement à la séance de l'Académie française (27 janvier) où est lu le poème de Charles Perrault : *le Siècle de Louis le Grand.* Les contemporains y sont loués, les Anciens critiqués. Cet éclat marque le début de la **querelle des Anciens et des Modernes.**

1693 — Publication de l'*Ode sur la prise de Namur,* dans laquelle Boileau **cherche à défendre les Anciens** en démontrant la grandeur de Pindare, précédée d'un ***Discours sur l'Ode.***

1694 — *Satire X*, contre les femmes (mars). **Nouvelle édition de ses œuvres** augmentée de neuf ***Réflexions critiques sur quelques passages du rhéteur Longin.*** Boileau se réconcilie avec Perrault à l'Académie.

1695-1696 — Écrit les *Épîtres X*, « A mes vers », *XI*, « A mon jardinier » et *XII*, « A M. l'abbé Renaudot », sur l'amour de Dieu.

1698 — **Publie les *Épîtres nouvelles*** (janvier), écrit la *Satire XI*, « Sur l'honneur ». Boileau fait la connaissance de Brossette, un avocat lyonnais, avec qui il échange une correspondance assez intéressante pour le commentaire de son œuvre. Mort du chanoine E. Dreux. Boileau ne quitte pas le cloître Notre-Dame. Il s'installe dans la maison de l'abbé Lenoir.

1701 — Édition dite **« favorite »,** avec une nouvelle préface et l'original de la *Satire XI.*

1705 — Écrit sa *Satire XII*, « Sur l'équivoque ».

1710 — Compose les trois dernières *Réflexions sur Longin,* qui seront publiées dans l'édition posthume de 1713.

1711 — Mort de Boileau (13 mars) à Paris, au cloître Notre-Dame. Testament en faveur de sa famille, de ses serviteurs, des pauvres des paroisses de la Cité. Ses restes seront transférés de la Sainte-Chapelle au musée des Monuments français, rue des Petits-Augustins (19 mars 1800), et, de là, à l'église Saint-Germain-des-Prés (14 juin 1819). Une nouvelle édition de ses œuvres paraît en 1713; Brossette donne une édition des *Œuvres complètes* en 1716.

Boileau avait trente ans de moins que Corneille, quinze de moins que La Fontaine, quatorze de moins que Molière, treize de moins que Pascal, dix de moins que Mme de Sévigné, neuf de moins que Bossuet. Il avait deux ans de plus que Louis XIV, trois de plus que Racine, neuf de plus que La Bruyère, quinze de plus que Fénelon.

BOILEAU ET SON TEMPS

	la vie et l'œuvre de Boileau	le mouvement intellectuel et artistique	les événements historiques
1636	Naissance de Nicolas Boileau-Despréaux à Paris (1er novembre).	Corneille : *l'Illusion comique*, *le Cid*. Rotrou : *les Sosies*, comédie. Scudéry : *la Mort de César*, tragédie.	Complot de Gaston d'Orléans. Perte et reprise de Corbie (guerre avec l'Espagne).
1656	Reçu avocat au barreau de Paris.	Pascal : *les Provinciales*. Le Vau commence à construire le château de Vaux-le-Vicomte.	Début des négociations de paix franco-espagnoles.
1660	*Satire première*, « le Départ du poète ».	Racine : ode sur *la Nymphe de la Seine*. Molière : *Sganarelle ou le Cocu imaginaire*. Quinault : *Stratonice*.	Mariage de Louis XIV et de Marie-Thérèse. Restauration des Stuarts.
1663	*Stances à Molière* et *Satire VII*.	Corneille : *Sophonisbe*. Racine : ode sur la *Convalescence du roi*.	Invasion de l'Autriche par les Turcs. Fondation de la Compagnie des Indes.
1664	*Satires II*, *IV*, *V* et *VI*. *Discours au roi*.	Corneille : *Othon*. Racine : *la Thébaïde*. Molière : interdiction du premier *Tartuffe*.	Condamnation de Fouquet, après un procès de quatre ans.
1665	*Satires III*, « le Repas ridicule ».	Molière : *Dom Juan*; *l'Amour médecin*. La Fontaine : *Contes* et *Nouvelles*. Mort du peintre N. Poussin.	Colbert, contrôleur général des Finances. Peste de Londres.
1666	Édition collective des sept premières *Satires*. Il compose le *Dialogue des héros de roman*.	Molière : *le Misanthrope*. Furetière : *le Roman bourgeois*. Fondation de l'Académie des sciences.	Alliance franco-hollandaise contre l'Angleterre. Mort d'Anne d'Autriche. Incendie de Londres.
1667	*Satires IX*, « A mon esprit », et *VIII*, « De l'homme ».	Racine : *Andromaque*. Corneille : *Attila*. Milton : *le Paradis perdu*.	Conquête de la Flandre par les troupes françaises (guerre de Dévolution).
1670	Publication de l'*Épître première*, « Au roi » (sur les avantages de la paix).	Racine : *Bérénice*. Corneille : *Tite et Bérénice*. Édition des *Pensées* de Pascal. Mariotte découvre la loi des gaz.	Mort d'Henriette d'Angleterre. Les États de Hollande nomment Guillaume d'Orange capitaine général.
1672	*Épître IV*, « Au roi » (Sur le passage du Rhin).	Racine : *Bajazet*. Molière : *les Femmes savantes*. P. Corneille : *Pulchérie*. Th. Corneille : *Ariane*.	Déclaration de guerre à la Hollande. Passage du Rhin (juin).

1674	Édition comprenant les quatre premières *Épîtres*, *l'Art poétique*, *le Lutrin* (ch. premier à IV), *le Traité du sublime*. Publication de l'*Épître V* (se connaître soi-même).	Racine : *Iphigénie en Aulide*. Corneille : *Suréna* (dernière tragédie). Malebranche : *De la recherche de la vérité*. Desmarets de Saint-Sorlin : *Défense du poème héroïque*.	Occupation de la Franche-Comté par les armées de Louis XIV. Victoires de Turenne à Entzheim sur les Impériaux, et de Condé à Seneffe sur les Hollandais.
1675	*Épîtres VIII*, « Au roi », et *IX* (« Rien n'est beau que le vrai »).	Desmarets de Saint-Sorlin : *Défense de la poésie et de la langue française*. Bourdaloue prêche le carême à la Cour.	Batailles de Turckheim et de Salzbach. Mort de Turenne; nouvelle invasion de l'Alsace. Prise de Liège et de Dinant par les Français.
1677	*Épître VII*, « A M. Racine » (« De l'utilité des ennemis ») et *Épître VI*, « A M. de Lamoignon ». Nommé historiographe du roi avec Racine.	Racine : *Phèdre*. Spinoza : *Éthique*. Newton découvre le calcul infinitésimal et Leibniz le calcul différentiel.	Victoires françaises en Flandre (prises de Valenciennes, Cambrai, Saint-Omer). Début des négociations de Nimègue.
1684	Élection à l'Académie française (15 avril). Réception le 1er juillet.	Mort de Corneille. La Bruyère nommé précepteur du jeune duc de Bourbon.	Trêve de Ratisbonne. L'Empereur reconnaît l'annexion de Strasbourg.
1687	Début de la querelle des Anciens et des Modernes. Séjour aux eaux de Bourbon-l'Archambault : correspondance avec Racine.	Ch. Perrault : *le Siècle de Louis le Grand*. Fontenelle : *Histoires des oracles*.	Début des déportations de huguenots non convertis après la révocation de l'édit de Nantes (1685).
1693	*Ode sur la prise de Namur*. *Discours sur l'Ode*.	Début de la querelle entre Bossuet et Fénelon sur le quiétisme.	Victoire de Neerwinden.
1694	Publication de la *Satire X*, contre les femmes, et des *Réflexions sur Longin*. Réconciliation avec Perrault.	La Fontaine : *Fables* (Livre XII). Première édition du dictionnaire de l'Académie.	Victoire de Jean Bart sur les Hollandais.
1695	*Épîtres X*, « A mes vers »; *XI*, « A mon jardinier » et *XII* (sur l'amour de Dieu).	Conférences d'Issy sur le quiétisme. Bayle : *Dictionnaire historique et critique*.	Guillaume d'Orange prend Namur.
1705	*Satire XII*, « Sur l'équivoque », dont la publication est interdite.	Regnard : *les Ménechmes*. Publication posthume à Londres des *Œuvres* de Saint-Evremond.	Prise de Nice et du Piémont. Mort de l'empereur Léopold Ier.
1711	Mort de Boileau à Paris (13 mars).	Crébillon père : *Rhadamiste et Zénobie*, tragédie. Pope : *Essai sur la critique*.	Mort du Grand Dauphin.

BIBLIOGRAPHIE SOMMAIRE

OUVRAGES GÉNÉRAUX SUR BOILEAU

Antoine Adam — *Histoire de la littérature française au XVIIe siècle*, t. III et V (Paris, Domat, 1962).

Pierre Clarac — *Boileau* (Paris, Hatier, 1964).

SUR LA DOCTRINE CLASSIQUE

René Bray — *la Formation de la doctrine classique en France* (Paris, Nizet, 1966).

Gaston Bénac — *le Classicisme* (Paris, Hachette, 1958).

SUR L'ART ET LA CIVILISATION AU XVIIe SIÈCLE

Bernard Teyssèdre — *l'Art au siècle de Louis XIV* (Paris, le Livre de poche illustré, 1967).

G. C. Argan — *l'Europe des capitales* (Genève, Skira, 1964).

SUR BOILEAU

Boileau — *Œuvres complètes* de Boileau. Texte établi et présenté par Charles-H. Boudhors (Paris, Les Belles Lettres, 1952).

Boileau — *Œuvres complètes.* Introduction par A. Adam, textes établis et annotés par Françoise Escal (Paris, « Bibliothèque de la Pléiade », Gallimard, 1966).

SUR LA LANGUE DE BOILEAU

Jean Dubois, René Lagane et Alain Lerond — *Dictionnaire du français classique* (Paris, Larousse, 1971).

Vaugelas — *Remarques sur la langue française* (Paris, Larousse, « Nouveaux Classiques », 1969).

L'ART POÉTIQUE 1674

NOTICE

CE QUI SE PASSAIT EN 1670-1675

■ **EN POLITIQUE** : *En 1672, Louis XIV attaque brusquement la Hollande, qui résistait à ses projets de conquête inspirés par sa politique de prestige. Guillaume d'Orange, qui vient d'arriver au pouvoir avec le titre de « stathouder », forme contre lui, en 1673, une coalition qui comprend l'Autriche, l'Espagne et le Brandebourg. En 1674, la Hollande est évacuée, mais Louis XIV enlève la Franche-Comté à l'Espagne (février-juillet), Condé s'oppose aux Hollandais à Seneffe (août) et les bat, et Turenne dégage l'Alsace occupée par les Impériaux (octobre). Le traité de Nimègue, en 1678, mettra fin aux efforts de la coalition impuissante. — Années de deuil pour La Rochefoucauld et Corneille, dont les fils meurent à la guerre, l'un en 1672, l'autre en 1674.*

■ **EN LITTÉRATURE. En France** : *Molière meurt en 1673 (février), Chapelain, la bête noire du jeune Boileau, en 1674 (février). En 1674, Corneille fait représenter* Suréna, *Racine* Iphigénie. *La Fontaine a publié en 1671 un recueil de* Fables nouvelles, *en 1674 une* Ode pour la paix, *en 1675, la quatrième partie des* Contes. *Bossuet ne prêche plus, il est le précepteur du Grand Dauphin depuis 1670, tandis que le cardinal de Retz s'emploie à rédiger ses* Mémoires *de 1670 à 1675. Mme de Sévigné a commencé sa grande correspondance avec sa fille, qui l'a quittée en 1671.* Les Pensées *de Pascal ont paru en 1670 et la* Recherche de la vérité, *de Malebranche, est livrée au public en 1674. Les critiques ne sont pas inactifs : en 1671, le P. Bouhours publie les* Entretiens d'Ariste et d'Eugène; *en 1672, Le Moyne sa* Dissertation du poème héroïque *et, en 1673, Desmarets de Saint-Sorlin son* Traité pour juger des poètes grecs, latins et français.

À l'étranger : *En Angleterre, Milton meurt en 1674. Dryden fait jouer* Areng Zeb, *tragédie, et Wycherley,* Country Wife, *une comédie. En Hollande, Spinoza a publié en 1670 son* Tractatus theologico-politicus, *mais il doit renoncer, en 1675, à faire paraître son* Éthique.

■ **DANS LES ARTS ET DANS LES SCIENCES** : *Philippe de Champaigne meurt en 1674, Vermeer de Delft en 1675. En 1672, Parrocel peint le* Passage du Rhin par Louis XIV, *et, en 1675, Mansart commencera* *le dôme des Invalides. Bellori publie à Rome, en 1672,* Le Vite de'pittori, scultori ed architetti moderni, *qui offre de précieux témoignages sur les idées esthétiques de Poussin, proches de celles de Boileau. — En 1672, Lully a reçu pratiquement le privilège de l'opéra. Il remporte un triomphe avec son* Cadmius et Hermione, *tragédie en musique. — Période faste pour les sciences. En 1672, Jean Picard arrive à une appréciation exacte de la distance de la Terre au Soleil. En 1673, Antony van Leewenhoeck commence à publier dans les* Philosophical Transactions *ses observations microscopiques. En 1674, l'astronome hollandais Christian Huygens, qui séjourne à Paris depuis 1665, dédie au roi son* Traité de l'horloge. *En 1675, enfin, le Danois Römer mesure la vitesse de la lumière.*

CIRCONSTANCES DE LA PUBLICATION

Quand *l'Art poétique* parut, avec un privilège du 1er juillet 1674, dans un volume in-4° d'*Œuvres diverses* qui comprenait également les *Satires première à IX*, le *Discours au roi*, les *Épîtres première à IV*, le *Traité du sublime* et les quatre premiers chants du *Lutrin*, l'ouvrage était loin d'être inconnu d'une partie du public à qui il était destiné. Boileau y avait travaillé sans doute depuis la fin de 1669, et il avait eu l'occasion d'en lire des extraits dans les salons, où, depuis quelque temps, il était admis. C'est ainsi que Mme de Sévigné évoque les lectures qui eurent lieu chez le cardinal de Retz le 9 mars 1672, chez Gourville le 15 décembre 1673 et, enfin, le 13 janvier 1674, chez M. de Pomponne, qui fut, selon elle, « enchanté, enlevé, transporté de la perfection des vers de la *Poétique* de Despréaux ».

A cette époque, Boileau n'écrivait plus de satires et se consacrait aux épîtres; il s'était assagi, et le cercle de ses amitiés et de ses relations s'était élargi non seulement aux salons qui l'introduisaient dans la société de Mme de La Fayette ou du duc de Vivonne, mais encore — et cela nous intéresse directement — à l'hôtel de Lamoignon. Là, depuis 1667, date à laquelle il se lia d'amitié avec Guillaume de Lamoignon, premier président au parlement de Paris, « homme d'un savoir étonnant et passionné admirateur de tous les bons livres de l'Antiquité » (Avis au lecteur, du *Lutrin*), Boileau a eu l'occasion d'entendre et de fréquenter des critiques et des écrivains comme le P. Rapin, l'abbé Fleury, Pellisson ou Bossuet, qui échangeaient au sein d'une sorte de petite académie leurs conceptions de la littérature, d'une littérature qui eût le sens du naturel, du sérieux et de la grandeur. La fréquentation d'un milieu aussi favorable a pu lui donner l'ambition de s'intéresser aux écrivains et à leurs œuvres autrement qu'en les raillant comme il l'avait fait jusque-là dans ses satires, mais en formulant, dans un art poétique qui fît de lui un continuateur français d'Horace, l'essentiel d'une doctrine littéraire et de règles, depuis longtemps formées et adoptées, qui n'avaient cependant pas encore été présentées dans un grand exposé d'ensemble. Il y était d'autant plus incité que le P. Rapin préparait au cours de ces mêmes années ses *Réflexions sur la « Poétique » d'Aristote,* qui devaient paraître en novembre 1673, et avec lesquelles, du reste, on l'a noté, son propre ouvrage présente bien des similitudes de pensée.

Ce qui distingue par contre l'œuvre de Boileau de celle du savant jésuite, c'est la forme. Son *Art poétique,* en effet, est le premier qui soit écrit en vers après celui de Vauquelin de La Fresnaye, paru en 1606. En cela l'auteur n'a pas suivi les conseils de son ami Patru. C'est qu'il avait une autre ambition que Rapin : il ne voulait pas s'adresser seulement à un public de doctes, mais à un public mondain, au public des « honnêtes gens », qui jugent selon leur goût et leur bon sens, sans forcément tout connaître des doctrines d'Aristote et de ses commentateurs. Il a voulu, en somme, écrire un ouvrage qu'on pût lire avec plaisir, sans rien de pédant ou de trop didactique — la rigueur de l'exposé dût-elle en souffrir, et c'est parfois le cas —, et qui fût différent de ce qui avait paru avant lui en France dans ce domaine.

AVANT BOILEAU

Dans l'Avis au lecteur des *Œuvres diverses* in-4° de 1674, où il répond aux attaques de ses détracteurs, Boileau reconnaît volontiers sa dette à l'égard d'Horace : « Car puisque dans mon ouvrage qui est d'onze cents vers, il n'y en a pas plus de cinquante ou de soixante tout au plus imités d'Horace, ils ne peuvent pas faire un plus grand éloge du reste qu'en le supposant traduit de ce grand poète. » On s'assurera facilement, en effet, de ce qu'il doit à l'*Épître aux Pisons,* qui constitue le testament littéraire du poète latin, à la lecture des notes de cette édition. Mais Horace n'a pas contribué à lui seul à définir la doctrine littéraire de notre classicisme. Dans son beau livre sur *la Formation de la doctrine classique en France,* M. René Bray a bien montré l'énorme activité critique qui s'est déployée au XVIe siècle, essentiellement en Italie, autour de la *Poétique* d'Aristote. L'ouvrage du philosophe grec avait paru en 1498 à Venise, en traduction latine; en 1503, le texte grec était imprimé pour la première fois, et en 1527 paraissait le premier commentaire de ce Vida auquel Boileau fait également allusion dans l'Avis au lecteur cité plus haut. A partir de cette date et jusqu'à la fin du siècle, c'est toute une masse de commentaires qui va enrichir la réflexion critique, ceux par exemple de Scaliger, de Castelvetro et du Tasse, pour ne citer que les plus connus. Rien de tel en France à la même époque. La *Défense et illustration de la langue française* de Du Bellay traite surtout, comme son titre l'indique, de la langue.

Mais, au XVIIe siècle, les ouvrages des Italiens portèrent leurs fruits chez nous. Un écrivain comme Chapelain les connaissait fort bien et s'en est abondamment inspiré. Et il est l'un des principaux artisans des règles du classicisme, qui s'imposèrent définitivement autour de 1640. D'autres théoriciens ont précisé la doctrine sur certains points. Citons les plus importants : Jules de La Ménardière publia en 1639 un *Art poétique* (un seul volume paru, sur la tragédie et l'élégie); l'abbé d'Aubignac, que Boileau a fréquenté, fit paraître en 1657 sa *Pratique du théâtre*, et Colletet, la même année, un *Discours du poème bucolique*, puis un *Traité du sonnet* et un *Discours sur l'épigramme*.

Ce serait donc commettre une erreur que de voir en Boileau le législateur d'un Parnasse qui n'eût attendu que lui pour recevoir les règles nécessaires à la création d'œuvres conformes aux canons de la beauté classique. En 1674, le bruit de certaines querelles — sur les pointes ou le burlesque, par exemple — est bien atténué depuis quelques décennies, et les plus grands ont déjà produit leurs chefs-d'œuvre ou sont à l'apogée de leur talent.

ANALYSE DE « L'ART POÉTIQUE »
CARACTÈRE DE LA COMPOSITION

La composition même de *l'Art poétique* témoigne du désir de Boileau de rendre son ouvrage agréable. L'exposé est illustré par des digressions (passage sur la description, condamnation du burlesque, au chant premier), coupé par des considérations historiques (sur le vers français au chant premier, sur la satire au chant II, sur la tragédie et la comédie au chant III), égayé par des anecdotes (le médecin de Florence, au chant IV) ou par des imitations de modèles anciens (la tirade des âges au chant III ou le passage sur la mission civilisatrice de la poésie, au chant IV). Parfois, pour éviter d'alourdir la matière, l'auteur disperse dans deux chants différents des développements sur un même thème. C'est ainsi que les réflexions sur la critique nécessaire se trouvent aux chants premier et IV, celles sur l'amour au théâtre aux chants III et IV. Enfin, joignant encore en cela l'exemple à la leçon, Boileau s'efforce de varier le ton, notamment dans les passages consacrés aux différents genres : autant qu'une œuvre de théoricien, *l'Art poétique* se veut une œuvre d'art.

■ *CHANT PREMIER.* **Les principes généraux de la poésie.**

Nécessité de l'inspiration (vers 1-6); la vocation et les genres poétiques (7-26); la prééminence de la raison (7-38); condamnation au nom du bon sens des excès de la fantaisie, des descriptions trop longues et de la trop grande sécheresse (39-63); nécessité de la variété du ton et condamnation du burlesque et de l'emphase (64-102); le vers : les lois de la versification; l'influence de quelques auteurs sur la formation du vers français; nécessité de suivre, en ce qui concerne la pureté et la clarté du style, l'exemple de Malherbe (103-146); on atteint la clarté par l'exercice de la raison (147-154); on atteint la pureté par un respect quasi religieux de la langue (155-162); nécessité d'un travail lent et scrupuleux (163-174); les qualités d'un bel ouvrage (175-182); nécessité de soumettre l'ouvrage à la critique non d'un flatteur mais d'un sage ami; satire de l'auteur trop content de lui-même et de ses sots admirateurs (183-232).

■ *CHANT II.* **Les petits genres.**

L'idylle : excès à éviter, modèles à suivre (vers 1 à 37); l'élégie : condamnation de la préciosité au nom de la sincérité de l'émotion (38-57); l'ode : l'ordre de la composition (58-81); le sonnet : ses règles précises (82-102); l'épigramme et la condamnation des pointes (103-138); rondeau, ballade et madrigal (139-144); la satire : son évolution (145-180); le vaudeville (181-190); précepte final : le poète doit rester modeste (191-204).

■ *CHANT III.* **Les grands genres.**

La tragédie (vers 1-159) : la doctrine de l'imitation, rhétorique et émotion; règles particulières : l'exposition, les règles des trois unités, le vrai et le vraisemblable, les récits, l'intrigue et le dénouement; évocation des débuts de la tragédie en Grèce; le théâtre en France, l'amour dans la tragédie; le caractère du héros tragique; l'« égalité du caractère »; nécessité d'adapter le ton du personnage aux sentiments qu'il exprime; la critique.

Le poème épique (vers 160-334) : l'allégorie et les ornements de l'épopée; condamnation du merveilleux chrétien dans l'épopée; défense de l'allégorie dans un sujet profane; les qualités du héros épique, les qualités du sujet épique; conseils généraux pour la narration et la description; le début, Virgile; les images poétiques, éloge d'Homère; diatribe contre Desmarets de Saint-Sorlin.

La comédie (vers 335-428) : bref historique; la nécessité d'étudier la nature, les âges de la vie; conseils généraux pour la conduite de l'intrigue; condamnation de la farce.

■ *CHANT IV.* **La poésie et le poète.**

La poésie ne supporte pas la médiocrité (vers 1-40); le poète doit se défier des flatteurs et des sots et rechercher un critique pertinent (41-84); l'art doit être utile autant qu'agréable, et il doit être moral (85-96); défense de la peinture de l'amour à la scène (97-110); la dignité de l'écrivain : éloigné de toute intrigue, sociable, désintéressé (111-132); la fonction civilisatrice de la poésie aux premiers temps de l'humanité (133-166); la condition de l'écrivain (167-192); éloge de Louis XIV et de quatre écrivains contemporains (193-221); le rôle de Boileau (222-236).

LA DOCTRINE

La distinction des genres.

Les chants II et III supposent une stricte distinction des genres littéraires. C'est là un dogme de l'esprit classique, que Boileau justifie plus par la nature des différents talents (voir les vers 13 et suivants du chant premier) que par l'autorité des Anciens ou de la tradition. Le début du siècle avait connu des genres mixtes, tragi-comédie ou pastorale dramatique. Le triomphe des règles les a fait disparaître et Boileau les ignore. De même reste-t-il muet sur l'opéra (alors qu'il évoque le vaudeville) et — cela est plus étonnant — sur la fable, que La Fontaine illustrait pourtant alors de tout son génie.

En fait, Boileau a retenu dans son œuvre les mêmes genres que le P. Rapin, genres anciens comme l'ode, l'épigramme ou l'élégie, mais aussi certains genres formellement condamnés par la *Défense et illustration* (voir IIe partie, chapitre IV : « Quelz genres de poëmes doit élire le poëte françoys », « ces vieilles poësies françoyses... comme rondeaux, ballades, chansons et autres telles épisseries qui corrompent le goust de nostre langue »). Ces poèmes ont dû leur retour en grâce aux poètes galants et précieux, tels Voiture ou Benserade, qui leur ont redonné quelque lustre. Les vers de Boileau ne font qu'enregistrer leur succès et témoignent du goût de son époque, mais la brièveté du passage qui leur est consacré suggère au fond que rondeaux ou ballades n'occupent qu'un rang inférieur dans la hiérarchie des genres.

La raison.

Dès le début de *l'Art poétique* se manifeste le culte de Boileau, et à travers lui celui du classicisme, pour la raison. Raison et bon sens doivent s'imposer en maîtres à l'écrivain comme à son conseiller, et cela dans tous les genres, qu'il s'agisse de la scène ou de la chanson. L'imagination, la libre fantaisie doivent lui céder le pas. Malheur à qui s'éloignerait du « droit sens » pour rechercher une originalité suspectée. Sa voie est étroite, difficile à atteindre, et surtout elle est unique (voir le vers 48 au chant premier). C'est en son nom que sont condamnés les pointes ou le burlesque, comme aussi les « faux brillants » de l'Italie ou la grossièreté de l'Espagne. Elle est universelle et elle est de tous les temps. C'est d'elle que découlent toutes les règles, et c'est elle qui « engage » l'écrivain à se soumettre à ces règles. Pour atteindre au beau absolu et à la vérité, l'artiste doit donc non seulement apprendre à bien penser, mais aussi s'assimiler tout un ensemble de préceptes et de procédés intangibles.

L'imitation de la nature et la vraisemblance.

Il est entendu depuis Aristote que l'art est une imitation de la nature. Mais que désigne ce mot *nature*, et en quoi doit consister cette imitation ?

La nature, est-ce le monde extérieur, la masse des objets qui peuvent se présenter aux regards de l'observateur attentif? L'art classique, en fait, est assez indifférent au pittoresque, à la couleur locale, à la recherche de l'effet spectaculaire. Ce qui intéresse avant tout l'écrivain de cette époque, c'est l'homme, le monde extérieur n'est qu'un décor. Sa nature, c'est la nature humaine, dans sa vérité psychologique permanente, une nature humaine dont la raison a déjà « adouci la rudesse » des mœurs, et non pas cette « grossière nature » des premiers temps que Boileau évoque au chant IV de son œuvre. Ici se pose la question du vraisemblable.

« Le vrai peut quelquefois n'être pas vraisemblable. » Ce vers fameux, qui résume dans sa concision de longues discussions, s'éclaire et s'explique à la lecture de ces réflexions du P. Rapin, citées par M. Antoine Adam : « La vérité est presque toujours défectueuse par le mélange des conditions singulières qui la composent. Il ne naît rien au monde qui ne s'éloigne de la perfection de son idée en naissant. Il faut chercher des originaux et des modèles dans la vraisemblance et dans les principes universels des choses, où il n'entre rien de naturel et de singulier qui les corrompe. » Pour atteindre à la vérité et donner l'impression du naturel, l'artiste ne devra donc pas se contenter de copier servilement l'objet de son imitation. Il devra, au moyen des règles de son art, opérer une transposition, choisir, idéaliser, et se référer moins à la réalité brute qu'à l'opinion commune, la vraisemblance en effet n'étant rien d'autre que « ce qui est conforme à l'opinion du public », selon une autre formule du P. Rapin. Chercher à plaire en évoquant un spectacle exceptionnel, une individualité excentrique, une situation hors du commun serait enfreindre les règles de la raison, choquer les sentiments du public et s'exposer à ne pas être cru, même si l'on invoque, pour justifier la vérité de sa peinture — comme le fit Corneille —, le témoignage irréfutable de l'Histoire. Ce qui importe, c'est de se conformer à ce que le public juge vrai, étant donné sa culture et son éducation. Le naturel ainsi compris est un produit de la culture. L'esthétique classique ne tend pas au réalisme absolu. C'est un idéalisme.

Les bienséances.

De la théorie du vraisemblable découlent tout naturellement les règles des bienséances. Le mot apparaît au vers 123 du chant III : « L'étroite bienséance y veut être gardée. » Il s'agit là, pour reprendre la formule de M. René Bray, de bienséance interne, c'est-à-dire de la conformité du caractère et des réactions d'un personnage avec ce qu'on sait de lui, avec ce que sa situation lui impose. C'est ainsi que les mœurs de chaque pays doivent être évoquées conformément à l'idée, même sommaire, que l'on se fait de la « psychologie des peuples » (vers 112 et suivants du chant III), que chaque âge de la vie se voit attribuer une psychologie convenue (vers 373 et suivants du chant III), que chaque passion enfin doit s'exprimer en un langage bien défini (vers 131 et suivants du chant III). Ces exemples, qui montrent l'effort de transposition et de réduction du particulier au général auquel doit se livrer l'écrivain classique dans son étude de la « nature », font comprendre une des particularités de la comédie classique, comédie de caractère avant tout : l'individu n'est pas intéressant pour lui-même, mais : « Un honnête homme, un fat, un jaloux, un bizarre » (chant III, vers 364).

Les bienséances externes, elles, regardent la convenance qui doit exister entre l'œuvre littéraire et le goût et les sentiments du public. Certains spectacles choqueraient-ils la sensibilité? Un « art judicieux » les bannira de la scène : « Ce qu'on ne doit point voir qu'un récit nous l'expose. » C'est en raison de ces bienséances que les expressions triviales, les « grossières équivoques » et la « saleté » sont abandonnées à la populace, et c'est au bon goût que les « grimaces » des farces de Molière sont impitoyablement sacrifiées par Boileau.

Mais le respect des goûts du public peut aller plus loin, et imposer de nouveaux ressorts aux dramaturges. Si Boileau « consent », lui qui a tant raillé les héros amoureux des romans, à voir l'amour s'emparer aussi de la tragédie, c'est qu'il sait bien que le public de son temps s'en délecte. A condition que les bienséances internes soient respectées et que la morale soit sauve, il lui sacrifie donc la conception plus grave et peut-être plus élevée des tragiques grecs ou de Corneille. Cette attitude, qui ne met pas en cause le caractère d'universalité donné à l'art classique par les règles de la vraisemblance et des bienséances, ne montre pas moins que ces règles sont, malgré tout, sujettes à se modifier avec le goût du public, qu'elles reflètent.

L'imitation des Anciens.

Dans sa recherche du beau, l'écrivain classique n'est pas seul. Il a pour le guider les auteurs anciens, grecs et latins, qui ont peint avant lui la nature et créé, pense-t-on, des œuvres conformes aux règles éternelles de la raison. C'est des plus grands d'entre eux, donc, de ceux que l'admiration constante de la postérité à consacrés comme modèles, que le classique devra s'inspirer, dans quelque genre que ce soit. Principe excellent en soi, certes, mais qui, mal appliqué, peut conduire à d'étranges aberrations. *L'Art poétique* nous en offre des exemples, concernant notamment la poésie pastorale et le poème épique. On se demande, en effet, comment un auteur d'églogue pourra, au XVIIe siècle et plus tard, donner le sentiment du naturel et de la simplicité — qualité par excellence de ce genre de poème selon l'auteur — en peuplant sa campagne de Flores, de Pomones et autres fictions mythologiques sorties des *Métamorphoses* d'Ovide. On se demande encore pour quelles raisons les « ornements » empruntés à la mythologie antique sont plus susceptibles que les sujets chrétiens de conférer grandeur, beauté et intérêt à une épopée moderne.

La concentration des effets.

Le respect des règles formelles ne doit pas faire négliger « la grande règle de toutes les règles », selon l'expression de Molière, qui est de plaire. Boileau revient souvent, dans *l'Art poétique,* sur cette notion de plaisir plus encore que sur celle d'utilité, capitale également dans l'art classique. L'équilibre, l'harmonie et la clarté de la composition de l'œuvre y concourent. Il faut savoir « se borner » (ch. I, vers 49), « trop d'abondance nuit » (ch. III, vers 254). Homère est loué de ne point s'égarer « en de trop longs détours » (ch. III, vers 302) et, à l'inverse, Scudéry est blâmé pour la longueur de ses descriptions (ch. I, vers 49 et suivants). Ce dernier passage est significatif. Boileau y réagit non seulement contre un morceau trop long, contre un pittoresque trop facile et à la longue ennuyeux, mais aussi, sans doute, contre une conception pour ainsi dire « décorative » de la description, espèce de figure de style étrangère à la nécessité profonde de l'œuvre et contraire au bon sens. Ce n'est pas que Boileau bannisse la description (voir ch. III, vers 258). Mais c'est que l'art classique exige un équilibre parfait entre toutes les parties d'une œuvre et la subordination des détails à l'ensemble (ch. I, vers 175 et suivants). Tout doit tendre à l'harmonie et à la mise en valeur du sujet important, qui est la nature humaine et les passions de l'homme.

« L'ART POÉTIQUE » ET NOUS

Nous aurions quelques difficultés, aujourd'hui, à souscrire au jugement de Voltaire qui considérait *l'Art poétique* comme « le poème qui fait le plus d'honneur à la langue française ». En dépit de sa prétention à ne s'inspirer que de principes rationnels valables pour tous les temps, il est trop le reflet d'une société et d'un goût disparus pour nous paraître encore vraiment actuel; l'artifice, dans la conception même de l'œuvre comme dans certains préceptes qui s'y expriment, se sent trop souvent là où nous attendions plus de naturel de son auteur, pourtant sincèrement et consciencieusement épris de vérité. En fait, les efforts de Boileau pour « égayer » sa matière altèrent trop souvent l'expression de ses principes, excellents parfois pourtant. On dirait que la rime l'emporte alors sur sa raison.

Mais enfin, tel qu'il est, *l'Art poétique* offre en un volume réduit le résumé le plus accessible de la doctrine classique et il énonce des questions — imitation, vraisemblance, distinction des genres, des styles, nécessité des règles — qui ont continué d'être débattues après lui et souvent d'après lui, et dont les réflexions de la critique contemporaine sur les problèmes de la rhétorique et de la poétique renouvellent l'intérêt. Ce peut être encore une raison d'étudier *l'Art poétique.*

LEXIQUE DU VOCABULAIRE DE « L'ART POÉTIQUE »

La première partie de ce lexique présente une définition de certains termes souvent employés par Boileau et qu'il eût été fastidieux de répéter en notes. La seconde partie est constituée par une liste des « petits genres » littéraires évoqués dans *l'Art poétique*, auxquels nous avons joint l'épopée. On n'y trouvera pas une définition ou un historique complets de ces genres : la question dépasse largement le cadre de cet ouvrage, et d'ailleurs, dans ce domaine, beaucoup reste à faire. Il s'agit plutôt de montrer, très brièvement, la fortune de ces genres au XVIIe siècle, pour aider à déterminer les sources et les limites des analyses de Boileau. Le chiffre romain renvoie au chant; le chiffre arabe, au vers dans le chant correspondant. Dans le texte, les mots du lexique sont suivis d'un astérisque (*).

I. VOCABULAIRE GÉNÉRAL

Abord (d') : tout de suite, aussitôt (I, 82, 210, 213; III, 30, 328; IV, 13, 73).

Censeur : celui qui reprend, qui critique, sans malveillance (III, 145; IV, 71, 81, 235).

Censure : critique (I, 183; II, 153).

Censurer : critiquer (I, 186; IV, 59).

Discours : propos, paroles (sans rien de solennel) [I, 70, 145, 181, 221; II, 124, 171; III, 15, 231, 301, 377, 410; IV, 139, 172].

Équivoque : calembour, phrase à laquelle on donne un double sens par intention spirituelle. Dans le *Discours de l'auteur pour servir d'apologie à la Satire XII, « Sur l'équivoque »* (1705), Boileau en donne le sens commun : « toutes sortes d'ambiguïtés de sens, de pensées, d'expressions... tous ces abus et ces méprises de l'esprit humain qui font qu'il prend souvent une chose pour une autre ». (I, 206; III, 424.)

Fable : 1° récit mythologique, mythologie (III, 162, 204, 220, 237); 2° intrigue d'une œuvre épique ou dramatique (III, 192, 291).

Fat : sot, imbécile (I, 224; II, 152; III, 149, 364; IV, 50).

Froid : se dit « en matière d'ouvrages de l'esprit » de ce « qui est plat, qui n'a point d'agrément, qui ne pique point, qui ne touche point » (*Dictionnaire de l'Académie*, 1694). [I, 213; II, 46; III, 21, 192, 292; IV, 33, 38.]

Fureur : 1° délire (au sens figuré) [III, 17, 349]; 2° inspiration poétique (II, 74; IV, 154).

Furie : folie, extravagance (II, 201).

Furieux : fou, insensé (IV, 53).

Génie : 1° aptitude naturelle, talent particulier (I, 5, 20; III, 323);

2° inspiration poétique : « Le génie est ce feu céleste exprimé par la fable qui donne de l'élévation à l'esprit, qui fait penser heureusement les choses et les fait dire d'un grand air » (le P. Rapin, *Réflexions sur la « Poétique »*) [I, 10; II, 194; III, 75].

Humeur : caractère, du point de vue moral (III, 114).

Jouer [quelqu'un] : se moquer de (II, 86).

Méchant : de mauvaise qualité (I, 162).

Naïf : 1° naturel, sans artifice (I, 93; II, 7);

2° fidèle, ressemblant (III, 367).

Naïveté : caractère de ce qui est naturel (II, 140).

Plaisant : 1° adj., agréable, qui plaît (I, 16, 27, 76, 89; III, 241, 327, 424); comme adjectif substantivé a également ce sens au vers 88, IV;

2° nom, se dit par mépris pour désigner un bouffon, un homme ridicule, qui affecte de faire rire (I, 97; II, 131, 190).

Pointe : équivalent français de l'***acumen*** des Romains, la pointe, qui caractérise le maniérisme, est proche de l'***agudeza*** des Espagnols (Balthazar Gracián), du ***conceit*** anglais, des ***concetti*** italiens. Le *Dictionnaire de l'Académie* (1694), qui la définit comme « une pensée qui surprend par quelque subtilité d'imagination, par quelque jeu de mots », ajoute : « les pointes ne sont plus guère à la mode ». (I, 83; II, 105, 118, 137.)

Pompe : éclat (II, 6; III, 76).

Pompeux : 1° qui a de la grandeur, de la majesté (II, 13; III, 10, 258, 289);

2° ampoulé, emphatique (I, 159; III, 139).

Sublime : 1° adj., « qui est au premier rang, qui est élevé par-dessus les autres » (*Dictionnaire* de Furetière, 1690) [I, 27, 102; II, 160];

2° nom. Boileau en propose la définition suivante dans sa *Réflexion XII sur Longin* : « Le sublime est une certaine force de discours, propre à élever et à ravir l'âme, et qui provient ou de la grandeur de la pensée et de la noblesse du sentiment, ou de la magnificence des paroles, ou du tour harmonieux, vif et animé de l'expression... » (III, 190.)

Tour : 1° aspect que présente une chose selon la manière dont elle est faite (II, 7, 103);

2° tournure de phrase (I, 158, 215).

Vain : dépourvu de valeur, de mérite (I, 145; II, 45, 195; III, 23, 225, 234, 267, 315, 377; IV, 42, 54, 65, 89).

Vulgaire : commun, banal (sans idée de grossièreté) [II, 107; IV, 28, 112, 222].

II. LES GENRES LITTÉRAIRES

Ballade. Ce poème à forme fixe apparut vers le XIVe siècle. Très en faveur au XVe siècle, il fut condamné par la Pléiade. Au XVIIe siècle, le genre fut illustré par Voiture, Sarasin, Mme Deshoulières. Le Trissotin des *Femmes savantes* (1672) estimait quant à lui :

> La ballade à mon goût est une chose fade.
> Ce n'en est plus la mode, elle sent son vieux temps.

(Acte III, scène IV.) [I, 119; II, 141.]

Burlesque. D'un mot italien dérivé de ***burla*** (plaisanterie), le terme apparut en France en 1611. Prenant le contre-pied de la préciosité, ce genre, d'inspiration bourgeoise et populaire, se présente comme une parodie de l'épopée, consistant à travestir, en les embourgeoisant, des personnages et des situations héroïques. Les grossièretés ne tardèrent pas à en altérer l'esprit, et la vogue du burlesque cessa vers 1650. Scarron lui-même fit amende honorable. (I, 81, 97; II, 243 [adj.]; IV, 39 [adj.].)

Églogue. Le mot, qui, à l'origine, signifiait « morceau choisi », désigne le poème bucolique, la poésie pastorale. Dans son *Discours du poème bucolique* (1657), Colletet professait que ce genre de poème « ne demande pas d'ordinaire un style pompeux et sublime, ni de graves sentences, mais seulement une diction simple, pure, nette et des expressions naïves », sans « rien de bas ni de rampant ». (II, 14 à 37; IV, 201.)

Élégie : poème lyrique exprimant une plainte douloureuse. Ce poème n'est soumis à aucune règle précise et se définit surtout par son sujet, alors que chez les Romains une forme métrique déterminée, le distique élégiaque, lui était réservée. (II, 38 à 57, 114.)

Épigramme. A l'origine, l'épigramme était destinée aux inscriptions pour les morts, les sacrifices. Dès l'Antiquité, elle a dégénéré en maniérisme, en manie de la pointe. Son meilleur théoricien au XVIIe siècle est G. Colletet, qui la définit ainsi : « Tout poème succinct qui désigne et qui marque naïvement ou une personne ou une action ou une parole notable, ou qui infère agréablement une chose surprenante de quelque proposition avancée, soit extraordinaire ou commune. » (*Discours de l'épigramme,* 1653.) [II, 103 à 138, voir aussi I, 16; IV, 202.]

Épopée. Dans la hiérarchie des genres, le poème épique prend généralement le pas sur la tragédie et la comédie. Stimulés par la gloire du Tasse, les poètes français eurent l'ambition, autour de 1630, de doter la France de ce titre de gloire éclatant qu'eût été, dans l'esprit du temps, une grande épopée. Les premières œuvres parurent vers 1650. Citons parmi celles-ci : en 1653, *Saint Louis,* de Le Moyne; en 1658, *Constantinus,* de Mambrun; en 1660, *David,* de Les Fargues; en 1663-1665, *Samson, Daniel, Jonas, Josué,* de Coras;

en 1664, *Charlemagne,* de Le Laboureur. M. René Bray a compté 18 poèmes épiques parus en vingt ans, tous ayant des sujets chrétiens. La moitié de ces sujets étaient tirés de l'histoire moderne, 7 de l'Ancien Testament, 2 du Nouveau Testament. En 1674, il était clair que les poètes avaient échoué dans leurs ambitions. (III, 160 à 334.)

Idylle : petit poème à sujet pastoral et généralement amoureux. Employé souvent dans le sens d'« églogue ». (II, 6, 22.)

Madrigal. Ce genre galant fut particulièrement apprécié par les précieux. Il s'agit d'une courte pièce de vers qui exprime une pensée ingénieuse ou galante. (II, 143, 144.)

Ode. Tous les théoriciens du XVIIe siècle estiment que ce poème lyrique doit présenter les apparences du désordre. Dans le *Discours sur l'Ode* (1693), Boileau, prenant contre Perrault la défense de Pindare, déclare : « Il a surtout traité de ridicules ces endroits merveilleux où le poète, pour marquer un esprit entièrement hors de soi, rompt quelquefois de dessein formé la suite de son discours, et afin de mieux entrer dans la raison sort, s'il faut ainsi parler, de la raison même, évitant avec grand soin cet ordre méthodique et ces exactes liaisons de sens qui ôteraient l'âme à la poésie lyrique. » (II, 58 à 81.)

Roman. Boileau ne consacre pas un développement particulier au roman (III, 94), comme à un genre qui ait son autonomie et ses règles propres. S'il évoque, dans *l'Art poétique, le Grand Cyrus* ou la *Clélie* (III, 100 et 115), romans psychologiques et « romanesques », et *Cléopâtre* (III, 130), c'est en passant et pour en accuser les défauts. Il ne dit pas un mot des romans réalistes et bourgeois, dont la vogue, il est vrai, était passée en 1674. En fait, beaucoup pensent que le roman est un genre tributaire des règles de l'épopée. Boileau reflète l'opinion de beaucoup de critiques de son époque, qui ne voient dans ce genre que des œuvres frivoles (III, 119), où la fantaisie se donne libre cours aux dépens de la raison. Il prit pourtant un vif plaisir à leur lecture, au temps de sa jeunesse, comme il s'en explique dans son *Discours sur le dialogue des héros de roman* : « Comme j'étais fort jeune dans le temps que tous ces romans, tant ceux de Mlle de Scudéry que ceux de La Calprenède et de tous les autres, faisaient le plus d'éclat, je les lus, ainsi que les lisait tout le monde, avec beaucoup d'admiration et je les regardais comme des chefs-d'œuvre de notre langue... »

Rondeau : poème à forme fixe. Il connut ses périodes les plus brillantes dans la première moitié du XVIe siècle et dans la première moitié du XVIIe siècle. Du Bellay le rejette. Mais les poètes précieux, et surtout Voiture, s'y illustrèrent. Benserade, deux ans après *l'Art poétique,* publiera ses *Métamorphoses d'Ovide,* mises en rondeaux. (II, 140; voir aussi I, 121.)

Sonnet. Ce poème, qui nous vient d'Italie et fut introduit en France par l'école de Marot, fut défini pour la première fois dans *l'Art* *poétique* de Th. Sébillet (1549). Les poètes de la Pléiade eurent l'originalité d'en composer des recueils, que Boileau paraît ignorer. Les sonnets de *la Belle Matineuse*, de Voiture et Malleville, la querelle autour du *Sonnet d'Uranie*, de Voiture, et du *Sonnet de Job*, de Benserade, témoignent de l'intérêt accordé à ce genre par les précieux. (II, 82 à 102, 112, 199; IV, 186.)

Triolet. Fait de 8 vers sur 2 rimes, les 1er, 2e et 7e vers étant semblables, le triolet fut très en vogue jusqu'à la Renaissance. Il connut un regain de faveur dans la seconde moitié du XVIIe siècle (I, 120).

Vaudeville : « Chanson qui court la ville, dont l'air est facile à chanter et dont les paroles sont faites ordinairement sur quelque aventure ou quelque intrigue du temps. » (*Dictionnaire de l'Académie*, 1694.) A la fin du siècle, ce mot désigna aussi une pièce de théâtre mêlée de chansons et de ballets. Remerciant Brossette de ses chansons, Boileau lui déclare dans une lettre : « C'est au français qu'appartient le vaudeville et c'est dans ce genre-là principalement que notre langue l'emporte sur la grecque et sur la latine » (*Lettre* du 20 juillet 1699) [II, 181 à 194].

INDEX DES NOMS

Boileau ne s'est pas contenté d'exposer sèchement des principes et des règles. A l'appui de ses développements, il cite des noms d'auteurs, importants ou non à ses yeux ou aux nôtres. Il cite aussi des œuvres, toujours admirées ou tombées dans l'oubli, même dès 1674. Et quand il « ne marque pas » les noms, il procède par allusions. Qu'il distribue l'éloge ou bien le blâme et la raillerie, il peut être utile pour le lecteur de *l'Art poétique* et de ses critiques de connaître les jugements qu'il a portés, dans l'ensemble de son œuvre, sur ces écrivains et sur leurs productions, et de connaître également les jugements de ses contemporains. Cet index n'a donc pas la prétention de présenter des monographies complètes, mais, en rappelant certains faits, certaines relations, certaines tendances, de faire comprendre les réactions de Boileau à l'égard de tel personnage ou de telle question, et de montrer par là ou bien l'indépendance et l'originalité de son jugement ou bien sa soumission au goût de son époque ou aux conceptions de certains de ses amis.

Arioste (Ludovico Ariosto, dit **l'**) [1474-1533], auteur de satires, de comédies et de poèmes divers. C'est surtout son *Roland furieux* (publié en 1516) qui connut en France un énorme succès dans la première moitié du XVIIe siècle. Les hôtes du salon de l'hôtel de Rambouillet l'appréciaient particulièrement; c'est à son épopée que Mme de Rambouillet devait son nom d'emprunt de Bradamante, G. de Scudéry celui d'Astolphe. Tristan l'appelait « l'excellent Arioste » et Chapelain lui reconnaissait beaucoup d'invention. En 1685, Ph. Quinault tirera de l'*Orlando furioso* son *Roland* (attaqué par Boileau dans la *Satire X*). Boileau critique les licences poétiques de l'Arioste dans sa *Dissertation sur Joconde*. Le P. Rapin avait été aussi sévère que lui, et sa condamnation s'étend à tous les Italiens (voir les vers de *l'Art poétique* sur l'Italie au chant premier, vers 43-44, et au chant II, vers 106) : « Dans quelles énormités de fautes ne sont pas tombés Pétrarque dans son poème sur l'Afrique, Arioste dans son *Roland furieux*, le Cavalier Marin dans son *Adonis* et les autres Italiens qui n'ont pas connu les règles d'Aristote, parce qu'ils n'ont suivi d'autre guide que leur génie et leur caprice. » *(Réflexions sur la poétique d'Aristote.)*

Assoucy (Charles Coypeau, sieur d') [1605-1677]. Il fut l'ami de Cyrano de Bergerac puis de Molière, avec qui, même, il vécut quelques mois en 1655 (voir chant premier, vers 90). Il est l'un des représentants les plus notables du burlesque avec *le Jugement de Pâris* (1648), l'*Ovide en belle humeur* (1650) et *le Ravissement de Proserpine* (1653). Le vers de Boileau le toucha. Il l'avouera dans ses *Aventures d'Italie de Monsieur d'Assoucy* (1677) : « Ah! cher lecteur, si tu savais comme ce « tout trouva » me tient au cœur... » Boileau, cependant, le citera de nouveau dans sa *IXe Réflexion sur Longin* comme exemple de mauvais goût.

Benserade (Isaac de) [1612-1691]. Benserade venait de remplacer Chapelain à l'Académie française (1674) quand *l'Art poétique* parut. Il publia en 1676 ses *Métamorphoses d'Ovide en rondeaux*, et mena avec Perrault le combat pour la liberté de l'Académie. Ennemi de Furetière, de Racine et de Boileau, il soutint cependant La Fontaine à l'Académie, mais prit parti pour Fontenelle contre La Bruyère en 1691. Celui-ci le raillera cruellement sous le nom de Théobalde dans ses *Caractères* (V, 66), quitte à rendre hommage un an plus tard à ses rondeaux (XIV, 73). Les jugements de Boileau lui sont beaucoup moins favorables dans la Préface de 1701 et dans la *Satire XII* que dans *l'Art poétique* (IV, 199).

Bertaut (Jean) [1552-1611]. Avec Du Perron, Gilles Durand, Passerat, il fut un des familiers de Desportes. Il a subi l'influence de Ronsard et a su se dégager de l'influence italienne. Régnier lui a dédié sa *Satire VI* (1606). Boileau l'associera à Malherbe dans sa *Réflexion VII*.

Boyer (l'abbé Claude) [1618-1698], auteur de nombreuses tragédies. Il a été très tôt raillé par Boileau qui, dès le premier état de sa *Satire première*, s'indigne des sots qui le préfèrent à Corneille. *Le Chapelain décoiffé* et une épigramme feront de nouveau allusion à lui. L'un des premiers pensionnés, académicien en 1666, il était du parti des Modernes (*l'Art poétique*, ch. IV, vers 34).

Brébeuf (Georges de) [1618-1661]. Influencé un moment par le burlesque, il écrivit en 1651 une parodie du septième livre de *l'Énéide*. Mais c'est *la Pharsale* (1655), traduite de Lucain, qui eut en son siècle le plus de succès, aux dépens, semble-t-il, de ses *Entretiens solitaires* (1660), chef-d'œuvre de poésie religieuse. Boileau s'était quelque peu inspiré de *la Pharsale*, en 1672, pour son *Épître IV*, et il a assez souvent parlé de Brébeuf par la suite, tantôt pour le critiquer ou le railler comme dans *le Lutrin* (ch. V, vers 160 et suivants), l'*Épître VIII* ou une lettre à Brossette, où il voit dans *la Pharsale* un bon exemple d'enflure, tantôt pour lui reconnaître quelque mérite comme dans la Préface de 1701. Rapin a exprimé dans ses *Réflexions* un jugement assez voisin de celui que porte Boileau aux vers 98 et suivants de *l'Art poétique* : « *La Pharsale* de Brébeuf gâta, depuis, bien de la jeunesse qui se laissa éblouir à la pompe de ses vers; en effet ils ont de l'éclat, mais, après, tout ce qui parut grand et élevé dans ce poème, quand on y regarda de près, ne passa parmi les intelligents que pour un faux brillant plein d'affectation. »

Chapelain (Jean) [1595-1674]. L'influence qu'il exerça dans le monde littéraire de son temps n'est pas à la mesure de ses créations. Son épopée de *la Pucelle* (publiée en 1656 après une longue gestation) et ses poèmes — entre autres une *Ode à Richelieu* à laquelle

Boileau fait allusion — ne valent guère mieux. Mais partisan passionné d'Aristote et de ses commentateurs italiens, il eut une grande part dans la formation des règles du classicisme par ses écrits théoriques — *Lettre sur les vingt-quatre heures, les Sentiments de l'Académie sur « le Cid »* — et par ses lettres. C'est pour cette raison, sans doute, que vers 1662-1663, il fut choisi par Colbert pour dresser la liste des écrivains méritant d'être pensionnés afin d'exalter la gloire du roi par leurs œuvres. Il eut pour l'aider dans cette tâche Charles Perrault, et se fit rapidement des ennemis, à commencer par Boileau (voir les allusions aux pensions dans le passage du *Dialogue des héros de roman* consacré à *la Pucelle*). Les flèches que le satirique ne manqua jamais de lui décocher après 1666 le touchèrent assez pour qu'il conçût le désir de s'en venger. C'est lui qui fit annuler, en 1671, le privilège pour la réédition des œuvres de Boileau. Il venait de mourir quand parut *l'Art poétique.*

Colletet (Guillaume) [1598-1659]. Un des premiers membres de l'Académie (1634), Colletet avait connu une certaine aisance, mais il finit par mourir dans la pauvreté, ce que la *Satire première* (vers 77-78) a déjà évoqué. A Le Verrier, Boileau le présentera ainsi : « Un poète fort gueux et d'un mérite assez médiocre. Il a pourtant fait quelques pièces passables et il n'était pas sans génie. » Il n'est pas interdit de penser que l'auteur de *l'Art poétique* doit beaucoup de son inspiration à ses *Traités* et *Discours* sur divers genres (voir la Notice). [*L'Art poétique,* ch. IV, vers 185.]

Corbin (Jacques) [1580?-1653], auteur d'une *Jérusalem régnante,* d'une traduction de la Bible (1643) et d'une *Histoire sacrée de la Grande-Chartreuse.*

Cotin (abbé Charles) [1604-1682], prédicateur et poète, auteur à la fois de *Poésies chrétiennes* (1657) et d'*Œuvres galantes* (1663). C'est plus à ses productions qu'à ses théories que s'en est pris Molière en le ridiculisant sous le nom de Trissotin dans *les Femmes savantes,* car l'abbé Cotin, proche en cela des fidèles de l'Académie Lamoignon, se posait, dans ses traités, comme le défenseur de la saine tradition contre la poésie galante et précieuse. Ami de Chapelain, il a réagi très vivement par sa *Critique désintéressée sur les satires du temps* (1666) aux œuvres de Boileau qui le mettaient en cause, ce qui n'empêcha pas celui-ci de le railler aussi cruellement par la suite *(Satires VIII et IX, Épître première, Discours sur l'Ode).*

Cyrano de Bergerac (Savinien de) [1620-1655], philosophe et poète. Ce disciple de Gassendi, que nous connaissons surtout pour son *Histoire comique des États et Empires de la Lune* (publiée en 1657) et pour son *Histoire comique des États et Empires du Soleil* (1662), est aussi l'auteur plein de fantaisie de poèmes burlesques, d'une comédie (*le Pédant joué,* 1654) et d'une belle tragédie « impie » (*la Mort d'Agrippine,* 1654).

Desmarets de Saint-Sorlin (Jean) [1595-1676]. Desmarets fut l'un des premiers académiciens (1634) et il occupa des charges importantes, comme celle de secrétaire général de la marine du Levant et de conseiller du roi. L'un des adversaires les plus fanatiques du jansénisme (voir l'allusion du vers 128 de la *Satire première*), par sa comédie *les Visionnaires* (1637) il s'attira une réplique cinglante de Nicole (voir, p. 87, la note du vers 100 du chant IV). Il s'intéressa surtout à l'épopée, composant successivement *Clovis ou la France chrétienne*, en 1657, *Marie-Madeleine ou le Triomphe de la grâce*, en 1669, et *Esther* en 1670, et exposant dans ses *Discours* et *Traités* l'idéologie des Modernes et la nécessité des sujets chrétiens dans le poème héroïque. L'âpreté de Boileau à son égard dans *l'Art poétique* s'explique par le ressentiment (Desmarets avait critiqué son *Épître IV* en 1672) et par le désir de répondre à son *Discours pour prouver que les sujets chrétiens sont les seuls propres à la poésie héroïque* et à son *Traité pour juger des poètes grecs, latins et français*, parus tous deux avec la réédition de *Clovis* en 1673. *La Défense du poème héroïque* suivit de peu *l'Art poétique*, en 1674, et en 1675 *la Défense de la poésie et de la langue française*, en faveur des Modernes.

Desportes (Philippe) [1546-1606]. Lié à Ronsard, il s'inspirait des Italiens. Auteur, entre autres œuvres, des *Amours d'Hippolyte* (1573) et de *Psaumes* (1603), Desportes s'assimile les thèmes et le style de son temps, mais avec prudence et sans se laisser aller jamais aux élans débridés de la poésie baroque.

Du Souhait. Obscur traducteur de *l'Iliade*, en prose (1614).

Gombauld (Jean Oger de) [1570?-1666], l'un des familiers de l'hôtel de Rambouillet. Sa production est assez variée. Dans sa *Nouvelle allégorique* (1658), Furetière le présente comme le « grand casuiste et législateur » de la « Terre des sonnets ». Perrault le cite dans son *Siècle de Louis le Grand* entre Régnier, Maynard et Malherbe.

La Calprenède (Gautier de Coste, sieur de) [1609-1663]. Ses romans, interminables, ont connu un grand succès. Racine s'est inspiré de sa *Mort de Mithridate;* Condé appréciait fort *Cassandre* (1642-1654) et encouragea son auteur, qui publia encore *Cléopâtre* (1647-1656) et *Faramond* (1661). Charles de Sévigné déclarait encore en 1676 : « Nous anathémisons tout ce qui n'est pas de La Calprenède », et ce n'est pas à la Marquise qu'il eût fallu parler de raison ou de vraisemblance dès qu'il s'agissait de son cher romancier : « Je songe quelquefois d'où vient la folie que j'ai pour ces sottises-là : j'ai peine à le comprendre. [...] Le style de La Calprenède est maudit en mille endroits : de grandes périodes de roman, de méchants mots, je sens tout cela. J'écrivis l'autre jour une lettre à mon fils de ce style, qui était fort plaisante. Je trouve donc qu'il est détestable et je ne me laisse pas de m'y prendre comme à de la glu. La beauté des sentiments, la violence des passions, la grandeur des événements et le succès miraculeux de leur redoutable épée, tout cela m'entraîne comme une petite fille. » (*Lettre du 12 juillet 1671.*) [Voir *l'Art poétique*, ch. III, vers 130.]

La Mesnardière (Jules Pilet de) [1610-1663]. Il fut au service de Gaston d'Orléans, puis de Mme de Sablé en sa qualité de médecin. Il fréquenta l'hôtel de Rambouillet et fut lié avec G. Colletet et Scarron. Sa *Lettre du sieur du Rivage* railla, en 1656, *la Pucelle* de Chapelain. Ce ne sont pas ses *Poésies* qui lui donnent son principal titre de gloire, mais sa *Poétique*, publiée en 1640, connue de Boileau, par laquelle il eut l'ambition d'éclipser les ouvrages de tous les critiques italiens et où il s'affirma comme le grand théoricien des bienséances.

La Morlière (Adrien de). Ce « méchant poète », selon la note de Boileau, a écrit les *Antiquités, histoires et choses les plus remarquables de la ville d'Amiens poétiquement traitées* (1622).

Lignières (François Payot de) [1626-1704]. Ce libertin dans tous les sens du mot fut un ami de Boileau, qu'il rencontrait au cabaret de la Croix blanche. Il participa sans doute avec lui et leurs amis à la rédaction du *Chapelain décoiffé*, après avoir écrit en 1656 une *Lettre d'Éraste à Philis* contre *la Pucelle* du même Chapelain (voir la *Satire IX*). Puis il se fâcha avec Boileau, qui le poursuivit désormais de ses sarcasmes (*Épître II*, *l'Art poétique*, ch. II, vers 194; épigrammes...). Fut-il ainsi puni pour avoir raillé sans pitié, en 1672, l'*Épître IV*, sur le passage du Rhin?

Lope de Vega Carpio (Félix) [1562-1635]. Il n'est pas cité dans *l'Art poétique*, mais une note de Brossette invite à l'identifier comme le « rimeur » du vers 39 du chant III. Son œuvre est variée et très abondante. Le théâtre y occupe une place prestigieuse. Cependant ses pièces furent unanimement méprisées du public et des théoriciens français du XVIIe siècle, ainsi que son *Art nouveau de faire des comédies* (1609), dont Chapelain déclarait, en des termes qui annoncent ceux de *l'Art poétique* : « Il s'est voulu excuser de sa barbarie sur le goût du peuple qui le payait, et auquel il eût déplu s'il eût voulu le divertir par des ouvrages réguliers, prétendant d'ailleurs qu'il avait assez de connaissances d'Aristote et des préceptes pour le suivre, si la raison n'eût point été chez eux une marchandise de contrebande. » (*Lettre à Carel de Sainte-Garde* du 3 novembre 1663.)

Magnon (Jean) [1620?-1662]. « Magnon a composé un poème fort long intitulé *l'Encyclopédie* », note Boileau. Inachevé, cet ouvrage fut en fait publié en 1663 sous le titre de *la Science universelle*.

Malherbe (François de) [1555-1628]. Sa critique a porté d'une part sur la langue, d'autre part sur le style et la technique poétiques. Voulant une langue épurée, claire et juste, il a été pour beaucoup dans la formation du bon usage, défini en 1647 par Vaugelas. A cet égard, son influence a été très importante. Elle le fut un peu moins en ce qui concerne la versification, dans la mesure où l'on voyait surtout en lui le maître de l'ode héroïque, dont il a fixé les règles (voir le vers 17 du chant premier), genre jugé trop sérieux par une partie de la société de la seconde moitié du siècle. Balzac avait exprimé avant Boileau l'essentiel de ce que nous lisons aux vers 131 et suivants du chant premier : « Le premier ou l'un des premiers, François Malherbe a vu le chemin de la poésie; au milieu des brumes de l'erreur et de l'ignorance, il se tourna le premier vers la lumière et contenta les oreilles les plus délicates » (*Lettre latine*, à Silhon). Le même Balzac sera plus réservé dans son *Socrate chrétien* (1652) : « Vous souvenez-vous du vieux pédagogue de la Cour, et qu'on appelait le tyran des mots et des syllabes [...]. N'ayons point dessein d'imiter ce que l'on conte de ridicule de ce vieux docteur. » Boileau l'évoque assez souvent dans ses vers (*Satire II*, vers 46; *Satire IX*, vers 115 et 251 ; *Épître IX*, vers 168). Il en parle avec éloge dans ses *Réflexions première, II*, et dans la *Réflexion VII*, où il note qu'il a « attrapé dans le genre sérieux le vrai génie de la langue française qui bien loin d'être en son point de maturité du temps de Ronsard [...] n'était pas même sortie de sa première enfance ». Il semble plus réservé sur ses qualités de poète, parlant avec quelque condescendance des « sages emportements de Malherbe » dans son *Discours sur l'Ode*, et déclarant à Maucroix : « La vérité est pourtant, et c'était le sentiment de notre cher ami Patru, que la Nature ne l'avait point fait grand poète... » (Voir la *Lettre à Maucroix*, p. 123.)

Malleville (Claude de) [1597-1647]. Représentant du goût et des tendances de la poésie mondaine à l'apogée de Louis XIII, cet ami de Conrart fut un des hôtes de l'hôtel de Rambouillet, qu'il anima un moment par la rivalité qui l'opposa à Voiture au sujet des sonnets sur le thème de la « Belle Matineuse » (*l'Art poétique*, ch. II, vers 97).

Marot (Clément) [1496-1544]. Il paraît deux fois dans *l'Art poétique*, aux vers 96 et aux vers 119 et suivants du chant premier. Il est encore cité entre l'Arioste, Boccace et Rabelais au vers 68 de la *Satire* X. Ce poète fut très estimé au XVIIe siècle, que ce soit par La Fontaine, par le P. Bouhours ou par La Bruyère (« Marot par son tour et par son style semble avoir écrit depuis Ronsard... », *Caractères*, I, 41), ou par Fénelon. Boileau, dans la *Réflexion VII*, lui rendra un nouvel hommage pour sa « naïveté » et remarquera à propos de ses ouvrages : « Ils sont encore aujourd'hui généralement estimés : jusque-là même que pour trouver l'air naïf en français on a encore recours à leur style. »

Maynard ou **Mainard** (François) [1582-1646]. Il n'a pas écrit seulement des sonnets, mais aussi des odes, des stances (voir *A la Belle Vieille*) et des épigrammes. Boileau le citera de nouveau élogieusement dans sa *Lettre à Perrault* (*l'Art poétique*, ch. II, vers 97).

Motin (Pierre) [1566-1610]. Grand ami de Régnier, qui lui a dédié sa *Satire IV* (1605), ce poète de cabaret a écrit des odes, des épigrammes, des poésies galantes. Il a plus de verve que ne pourrait le laisser penser le vers 40 du chant IV de *l'Art poétique.*

Les Perrault. Il y a plusieurs frères Perrault. Jean, l'aîné, était avocat; Pierre fut receveur des finances et traduisit cette *Secchia rapita,* de Tassoni, dont Boileau s'inspira pour *le Lutrin;* les tendances jansénistes de Nicolas, le théologien, expliquent l'amitié de la famille pour Antoine Arnauld et ses sympathies pour Port-Royal. Mais ce sont surtout le second et le cadet, Claude et Charles, qui nous intéressent ici.

Claude **Perrault** (1613-1688). Médecin, et à ce titre membre de l'Académie des sciences, Claude, si l'on en croit la *Réflexion première,* aurait mal soigné Boileau dans sa jeunesse. Il a mené de front trois types d'activités : 1° littéraires, publiant un poème, *les Murs de Troie ou l'Origine du burlesque* (1653), et, en collaboration avec Charles, une parodie du VIe livre de *l'Énéide;* 2° scientifiques, avec son *Anatomie animale,* parue en 1671; 3° artistiques enfin, en publiant en 1673 sa traduction des *Dix Livres d'architecture,* de Vitruve, et en participant à la conception et à l'édification de certains monuments. En ce qui concerne la colonnade du Louvre, les avis sont partagés. Certains, avec trop de générosité, en attribuent la paternité à lui seul; d'autres, à commencer par Boileau, lui dénient purement et simplement tout mérite. La réalité est fort complexe et la vérité plus nuancée. Nous nous en tiendrons à la conclusion de Bernard Teyssèdre : « ce chef-d'œuvre dont l'idée initiale appartint à Houdin, le plan à un collège de triumvirs, divers aménagements à François Le Vau et Claude Perrault, la réalisation à François d'Orbay, et dont aucun de ses « auteurs » n'avait prévu l'aspect que nous lui voyons ».

L'hostilité de Boileau à son égard fut totale, et durable. On s'en fera une idée par la lecture de la *Réflexion première* où, faisant allusion au début du chant IV de *l'Art poétique,* notre auteur évoque ses démêlés avec le médecin et avoue : « C'est ce qui me fit faire dans mon *Art poétique* la métamorphose du médecin de Florence en architecte, vengeance assez médiocre de toutes les infamies que ce médecin avait dites de moi » (en 1668, Claude Perrault l'avait accusé d'avoir insulté le roi dans sa *Satire IX*). [Voir aussi la *Lettre au duc de Vivonne,* de septembre 1676, et l'épigramme de mauvaise foi qui l'accompagne, la *Réflexion V* et la *Lettre à Antoine Arnauld* de juin 1694.]

Charles **Perrault** (1628-1703). C'est Chapelain qui a mis Charles Perrault sur la voie de la réussite en se l'attachant, vers 1662, pour dresser la liste des pensionnés. Devenu le bras droit de Colbert, il eut à s'occuper d'un peu de tout et prit « au département de la gloire du Roi », selon l'expression d'un de ses biographes, une grande part à l'édification et à la décoration de Versailles. A l'Académie française, dès 1671, il fit beaucoup pour en transformer les usages, obtenant que les séances fussent publiques, les présences contrôlées, et récompensées par des jetons de présence. Vers 1680, il connut l'amertume de la disgrâce. C'est à ce moment qu'il se livre pleinement à la littérature, avec son *Saint Paulin, évêque de Nole* (1686), prenant ainsi la succession que Desmarets de Saint-Sorlin lui avait laissée, par sa mort, pour la défense et illustration de l'épopée chrétienne. Les *Contes* (1697), qui lui ont assuré mieux que tout l'immortalité, ont été écrits à l'époque de sa querelle avec Boileau. Sa mort, en juin 1703, ne semble pas avoir ému outre mesure son vieil adversaire. Celui-ci confie dans une lettre à Brossette du 3 juillet 1703 : « Pour ce qui est de M. Perrault, je ne vous ai point parlé de sa mort parce que franchement je n'y ai point pris d'autre intérêt que celui qu'on prend à la mort de tous les honnêtes gens. Il n'avait pas trop bien reçu la lettre que je lui ai adressée dans ma dernière édition et je doute qu'il en fût content. » (Pour les œuvres de critique de Ch. Perrault, voir les notices consacrées à la querelle des Anciens et des Modernes.)

Pinchesne (Étienne Martin de) [1616-1703]. Les allusions à Pinchesne, assez nombreuses dans l'œuvre de Boileau, n'y sont jamais flatteuses (voir, outre le vers 34 du chant IV, de *l'Art poétique*, les *Épîtres V, VIII* et *X* et *le Lutrin*, ch. V, vers 163). Cet écrivain médiocre, neveu de Voiture et éditeur des œuvres de son oncle, publia contre Boileau les *Éloges du satirique français* (anonyme) et des épigrammes. Il fut l'ami de Charles Perrault.

Quinault (Philippe) [1635-1688]. Il a écrit de nombreuses pièces de théâtre, dont l'*Astrate*, jouée à la fin de 1665 et raillée par Boileau dans le *Dialogue des héros de roman*. Il a aussi collaboré avec Lully, après 1672, à de nombreux opéras. Par sa recherche du pathétique, par l'importance extraordinaire qu'il accorde à l'amour, il a sans doute témoigné plus que tout autre du goût nouveau du public pour l'amour « fertile en tendres sentiments », dont *l'Art poétique* remarque qu'il tend alors à s'emparer « du théâtre ainsi que du roman » (ch. III, vers 93-94). Charles Perrault, son ami, l'a toujours apprécié et défendu, dans son *Parallèle* notamment (voir la Préface de 1701, de Boileau).

Racan (Honoré de Bueil, seigneur de) [1589-1670] : son œuvre est abondante et variée, mais *l'Art poétique* fait surtout allusion (chant premier, vers 18) à sa poésie pastorale, dont *les Bergeries* (1625) sont une belle réussite. Disciple et ami de Malherbe, il est souvent évoqué à ce titre par Boileau *(Satire IX, Réflexions III* et *VII, Lettre à Perrault, Lettre à Maucroix).*

Rampale (mort en 1660), auteur des *Événements et prodiges de l'amour* (1664), imités d'un poète espagnol. Colletet écrivait de lui : « Rampale, qui à mon gré savait aussi bien le beau tour des vers que pas un autre de ma connaissance, a renouvelé la gloire de l'idylle. »

Régnier (Mathurin) [1573-1613]. Les vers 168 à 174 du chant II de *l'Art poétique*, où Boileau reproche à Régnier d'alarmer la pudeur du lecteur, ne doivent pas faire oublier la grande estime qu'il éprouvait à l'égard du vieux satirique. En témoignent les allusions de la *Satire X*, de la *Lettre à Perrault* et surtout la *Réflexion V* : « Le célèbre Régnier, c'est-à-dire le poète français qui, du consentement de tout le monde, a le mieux connu, avant Molière, les mœurs et le caractère des hommes. »

Ronsard (Pierre de) [1524-1585]. Le jugement sévère de Boileau est conforme au goût de l'époque (*l'Art poétique*, chant premier, vers 123, 129; ch. II, vers 17-24). L'influence de Ronsard a cessé dès le début du siècle, son déclin s'est précipité entre 1630 et 1660. Dans une lettre à Ménage de mai 1640, Chapelain écrivait : « Dans le détail, je le trouve plus approchant de Virgile ou pour mieux dire d'Homère, que pas un des poètes que nous connaissons et je ne doute pas que s'il fût né dans un temps où la langue était plus achevée et plus réglée, il n'eût pour le détail emporté l'avantage sur tous ceux qui font ou feront jamais des vers en notre langue »; mais il poursuit en critiquant vivement ses « galimatias, barbarismes et paroles de grimoire ». En 1658, Colletet fera encore l'éloge de ses sonnets dans son *Traité du sonnet*. Mais après 1660, Ronsard ne rencontre plus que du mépris, aussi bien de la part d'Antoine Arnauld (« ç'a été un déshonneur à la France que d'avoir fait tant d'estime des pitoyables poésies de Ronsard ») que de La Fontaine, de Fénelon, ou de Perrault. La remarque 40 de La Bruyère, au chapitre premier des *Caractères*, est cependant plus nuancée. A la suite de Sainte-Beuve qui l'arracha à son discrédit, la critique a tendu à lui redonner le rôle et la place que *l'Art poétique* lui avait refusés. C'est ainsi que Vianey écrira, dans ses *Odes de Ronsard*, livre paru en 1932 : « Boileau ne savait pas que, quand Malherbe vint, un premier Malherbe l'avait précédé depuis longtemps, et que ce prédécesseur était Ronsard lui-même : la troisième édition de ses *Odes* en 1555 est un événement littéraire [...]. Avec lui commence la réforme de Malherbe. »

Saint-Amant (Marc Antoine Girard, sieur de) [1594-1661]. Hôte de l'hôtel de Rambouillet comme des plus fameux cabarets de la capitale, grand voyageur à la faveur de ses campagnes ou de ses missions diplomatiques à l'étranger, il connut vite un vif succès avec son *Ode à la solitude*. C'est surtout à son *Moïse sauvé*, une idylle héroïque parue en 1653, que Boileau s'en prend, dans *l'Art poétique* (chant premier, vers 21; ch. III, vers 261 et suivants) et dans la *Réflexion VI*, non sans lui reconnaître un certain mérite dans la Préface de 1701. On trouvera le passage critiqué au chant III dans le tome II (page 117) de *la Poésie baroque* (Nouveaux Classiques Larousse).

Scarron (Paul) [1610-1660]. Brillant, plein de cette verve dont il anime ses œuvres burlesques et réalistes, son salon fut le rendez-vous de la meilleure société de son temps. Il épousa, en 1652, la jolie Françoise d'Aubigné, petite-fille du poète, future Mme de Maintenon, et future épouse de Louis XIV. *Le Typhon ou la Gigantomachie*, dont parle Boileau au vers 94 du chant premier de *l'Art poétique*, fut le premier en France des poèmes burlesques, dont il fixa la formule. Suivront le *Virgile travesti* (1648-1652), *le Roman comique* (1651 et 1657) et, parmi d'autres comédies ou farces, *Don Japhet d'Arménie* (1653).

Scudéry (Georges) [1601-1667]. Il publia en 1637 ses *Observations sur « le Cid »* et en 1654 son *Alaric ou Rome vaincue*, poème héroïque de 11 000 vers! Le tome II de *la Poésie baroque* (Nouveaux Classiques Larousse) présente un passage de cette œuvre.

Scudéry (Madeleine de) [1607-1701], sœur de Georges. Elle eut son salon précieux à partir de 1652, où se retrouvèrent Ménage, Chapelain, d'Aubignac et Sarasin. De 1649 à 1653, elle écrivit avec son frère *Artamène ou le Grand Cyrus*, en 10 volumes, puis, à partir de 1654, *Clélie ou l'Histoire romaine*, également en 10 volumes, où se trouve la fameuse « carte de Tendre ». Ses œuvres furent appréciées durant tout le XVIIe siècle. En septembre 1684, Mme de Sévigné lui écrit : « Je vous aimerai et vous adorerai toute ma vie; il n'y a que ce mot qui puisse remplir l'idée que j'ai de votre extraordinaire mérite. » Boileau prétendait avoir retardé la publication du *Dialogue des héros de roman*, qui la raille, pour éviter de lui donner du « chagrin ».

Segrais (Jean Regnault de) [1624-1701], parent très éloigné de Malherbe. Il fut un ami de Scarron et de Ménage. Les *Poésies diverses* parurent en 1658; elles comprennent ses *Églogues*, dont il dira qu'elles étaient « plus amoureuses que champêtres » pour plaire « aux dames et aux gens de la Cour ». En 1656, il écrivit les *Nouvelles françaises* dont l'une offre de grandes ressemblances avec le *Bajazet* de Racine (1672). La première partie de sa traduction de *l'Énéide* parut en 1668. Dans son *Discours à l'Académie*, La Bruyère prononcera son éloge immédiatement avant celui de La Fontaine, Boileau et Racine.

Tasse (Torquato Tasso, dit **le**) [1544-1595]. « Le plus grand homme de l'Italie pour la poésie » (Mlle de Scudéry); « le plus grand poète de tous les temps après Virgile » (Chapelain); « l'ouvrage le plus riche, le plus achevé qui se soit vu depuis le siècle d'Auguste » (Balzac, à propos de *la Jérusalem délivrée*). On n'en finirait pas d'accumuler les citations qui témoignent de l'admiration dont a joui, au XVIIe siècle, l'œuvre du poète italien. *La Jérusalem délivrée* fut achevée en 1575, et il en parut des traductions françaises, celle par exemple de Le Clerc en 1667 (voir *le Lutrin*, ch. V, vers 144), mais c'est en italien que Mme de Sévigné le cite constamment dans sa correspondance. C'est elle qui répondra au mot de Boileau sur « le clinquant du Tasse » (*Satire IX*, vers 176) : « Le clinquant du Tasse m'a charmée. » Dans ce concert de louanges, la sévérité de Boileau — encore que partagée par le P. Rapin — détonne. Mais en plus de ses préventions contre la poésie italienne, Boileau a quelques raisons de se défier du Tasse. Son *Traité de l'allégorie* et son *Discours sur le poème épique* n'offraient-ils pas des arguments de poids aux Desmarets et aux

Scudéry dans la querelle du merveilleux? Qu'on en juge par cet extrait du *Discours*, traduit et présenté par Gérard Genot dans un article récent : « A quel point donc le merveilleux que portent en eux les Jupiter et les Apollon est dépourvu de toute probabilité, de toute vraisemblance, de toute crédibilité, de toute grâce et de toute autorité, chaque homme, même de médiocre jugement, s'en pourra aisément apercevoir en lisant les écrivains modernes; mais chez les poètes anciens ces choses doivent être lues avec une autre considération et presque avec un autre goût, non seulement comme des choses reçues par le vulgaire, mais comme approuvées par la religion d'alors, quelle qu'elle fût. » (Revue *Communications*, 1968, n° 11 [« Sur le vraisemblable »].)

Voiture (Vincent) [1597-1648]. Il a fait les délices de l'hôtel de Rambouillet, qu'il animait de sa verve sympathique. Boileau a toujours eu un faible pour ce poète précieux, admiré aussi de La Fontaine, et plus tard de Voltaire.

Phot. Giraudon.

Portrait de Boileau par Pierre Drevet, d'après Rigaud.
Paris, Bibliothèque nationale.

PRÉFACE[1]

Comme c'est ici vraisemblablement la dernière édition de mes ouvrages que je reverrai[2], et qu'il n'y a pas d'apparence qu'âgé comme je suis de plus de soixante-trois ans[3], et accablé de beaucoup d'infirmités, ma course puisse être encore fort longue, le public trouvera bon que je prenne congé de lui dans les formes, et que je le remercie de la bonté qu'il a eue d'acheter tant de fois des ouvrages si peu dignes de son admiration. Je ne saurais attribuer un si heureux succès qu'au soin que j'ai pris de me conformer toujours à ses sentiments, et d'attraper, autant qu'il m'a été possible, son goût en toutes choses. C'est effectivement à quoi il me semble que les écrivains ne sauraient trop s'étudier. Un ouvrage a beau être approuvé d'un petit nombre de connaisseurs; s'il n'est plein d'un certain agrément et d'un certain sel propre à piquer le goût général des hommes, il ne passera jamais pour un bon ouvrage, et il faudra à la fin que les connaisseurs eux-mêmes avouent qu'ils se sont trompés en lui donnant leur approbation. Que si on me demande ce que c'est que cet agrément et ce sel, je répondrai que c'est un je ne sais quoi, qu'on peut beaucoup mieux sentir que dire. A mon avis néanmoins, il consiste principalement à ne jamais présenter au lecteur que des pensées vraies et des expressions justes. L'esprit de l'homme est naturellement plein d'un nombre infini d'idées confuses du vrai, que souvent il n'entrevoit qu'à demi; et rien ne lui est plus agréable que lorsqu'on lui offre quelqu'une de ces idées bien éclaircie et mise dans un beau jour. Qu'est-ce qu'une pensée neuve, brillante, extraordinaire? Ce n'est point, comme se le persuadent les ignorants, une pensée que personne n'a jamais eue, ni dû avoir : c'est au contraire une pensée qui a dû venir à tout le monde, et que quelqu'un s'avise le premier d'exprimer. Un bon mot n'est bon mot qu'en ce qu'il dit une chose

---

1. Cette Préface, la plus importante de toutes celles qu'a écrites Boileau pour les idées qu'il y exprime, précédait la belle édition de ses *Œuvres diverses*, dite « favorite », en 1701; 2. En fait, Boileau allait travailler, après 1701, à une nouvelle édition, où la *Satire X* devait figurer. Mais le privilège lui fut refusé en 1710, et l'édition des *Œuvres complètes* ne parut qu'en 1713, deux ans après sa mort; 3. Nous attendons soixante-quatre ou soixante-cinq ans, mais Boileau n'a jamais été très fixé sur la date de sa naissance.

que chacun pensait, et qu'il la dit d'une manière vive, fine et nouvelle. Considérons, par exemple, cette réplique si fameuse de Louis douzième à ceux de ses ministres qui lui conseillaient de faire punir plusieurs personnes qui, sous le règne précédent, et lorsqu'il n'était encore que duc d'Orléans, avaient pris à tâche de le desservir. « Un roi de France, leur répondit-il, ne venge point les injures d'un duc d'Orléans. » D'où vient que ce mot frappe d'abord? N'est-il pas aisé de voir que c'est parce qu'il présente aux yeux une vérité que tout le monde sent, et qu'il dit, mieux que tous les plus beaux discours de morale, « qu'un grand prince, lorsqu'il est une fois sur le trône, ne doit plus agir par des mouvements particuliers, ni avoir d'autre vue que la gloire et le bien général de son État? » Veut-on voir au contraire combien une pensée fausse est froide et puérile? Je ne saurais rapporter un exemple qui le fasse mieux sentir que deux vers du poète Théophile[4], dans sa tragédie intitulée *Pyrame et Thisbé*, lorsque cette malheureuse amante ayant ramassé le poignard encore tout sanglant dont Pyrame s'était tué, elle querelle ainsi ce poignard :

> Ah! voicy le poignard qui du sang de son maistre
> S'est souillé laschement. Il en rougit, le traistre!

Toutes les glaces du Nord ensemble ne sont pas, à mon sens, plus froides* que cette pensée. Quelle extravagance, bon Dieu! de vouloir que la rougeur du sang dont est teint le poignard d'un homme qui vient de s'en tuer lui-même soit un effet de la honte qu'a ce poignard de l'avoir tué! Voici encore une pensée qui n'est pas moins fausse, ni par conséquent moins froide. Elle est de Benserade[5], dans ses Métamorphoses en rondeaux, où, parlant du déluge envoyé par les dieux pour châtier l'insolence de l'homme, il s'exprime ainsi :

> Dieu lava bien la tête à son image.

Peut-on, à propos d'une si grande chose que le déluge, dire rien de plus petit ni de plus ridicule que ce quolibet[6] dont la pensée est d'autant plus fausse en toutes manières, que le dieu dont il s'agit à cet endroit, c'est Jupiter, qui n'a jamais passé chez les païens pour avoir fait l'homme à son image;

---

4. *Théophile :* il s'agit de Théophile de Viau, poète libertin, dont la tragi-comédie, représentée avec succès en 1617, avait été publiée en 1621; 5. *Benserade :* voir l'Index; 6. *Quolibet :* plaisanterie insipide, trait d'esprit de mauvais goût.

l'homme dans la Fable* étant, comme tout le monde sait, l'ouvrage de Prométhée?

Puis donc qu'une pensée n'est belle qu'en ce qu'elle est vraie, et que l'effet infaillible du vrai, quand il est bien énoncé, c'est de frapper les hommes, il s'ensuit que ce qui ne frappe point les hommes n'est ni beau ni vrai, ou qu'il est mal énoncé, et que par conséquent, un ouvrage qui n'est point goûté du public est un très méchant ouvrage. Le gros des hommes peut bien, durant quelque temps, prendre le faux pour le vrai, et admirer de méchantes* choses; mais il n'est pas possible qu'à la longue une bonne chose ne lui plaise; et je défie tous les auteurs les plus mécontents du public de me citer un bon livre que le public ait jamais rebuté[7], à moins qu'ils ne mettent en ce rang leurs écrits, de la bonté desquels eux seuls sont persuadés. J'avoue néanmoins, et on ne le saurait nier, que quelquefois, lorsque d'excellents ouvrages viennent à paraître, la cabale et l'envie trouvent moyen de les rabaisser, et d'en rendre en apparence le succès douteux : mais cela ne dure guère; et il en arrive de ces ouvrages comme d'un morceau de bois qu'on enfonce dans l'eau avec la main : il demeure au fond tant qu'on l'y retient; mais bientôt la main venant à se lasser, il se relève et gagne le dessus. Je pourrais dire un nombre infini de pareilles choses sur ce sujet, et ce serait la matière d'un gros livre; mais en voilà assez, ce me semble, pour marquer au public ma reconnaissance et la haute idée que j'ai de son goût et de ses jugements.

Parlons maintenant de mon édition nouvelle. C'est la plus correcte qui ait encore paru; et non seulement je l'ai revue avec beaucoup de soin, mais j'y ai retouché de nouveau plusieurs endroits de mes ouvrages : car je ne suis point de ces auteurs fuyant la peine, qui ne se croient plus obligés de rien raccommoder[8] à leurs écrits, dès qu'ils les ont une fois donnés au public. Ils allèguent, pour excuser leur paresse, qu'ils auraient peur, en les trop remaniant, de les affaiblir, et de leur ôter cet air libre et facile qui fait, disent-ils, un des plus grands charmes du discours*; mais leur excuse, à mon avis, est très mauvaise. Ce sont les ouvrages faits à la hâte, et, comme on dit, au courant de la plume, qui sont ordinairement secs, durs et forcés. Un ouvrage ne doit point paraître trop travaillé, mais il ne

7. *Rebuter :* refuser quelque chose; 8. *Raccommoder :* rectifier, corriger.

saurait être trop travaillé; et c'est souvent le travail même qui, en le polissant, lui donne cette facilité tant vantée qui charme le lecteur. Il y a bien de la différence entre des vers faciles, et des vers facilement faits. Les écrits de Virgile, quoique extraordinairement travaillés, sont bien plus naturels que ceux de Lucain, qui écrivait, dit-on, avec une rapidité prodigieuse. C'est ordinairement la peine que s'est donnée un auteur à limer et à perfectionner ses écrits qui fait que le lecteur n'a point de peine en les lisant. Voiture, qui paraît si aisé, travaillait extrêmement ses ouvrages. On ne voit que des gens qui font aisément des choses médiocres; mais des gens qui en fassent même difficilement de fort bonnes, on en trouve très peu.

Je n'ai donc point de regret d'avoir encore employé quelques-unes de mes veilles à rectifier mes écrits dans cette nouvelle édition, qui est, pour ainsi dire, mon édition favorite : aussi y ai-je mis mon nom, que je m'étais abstenu de mettre à toutes les autres. J'en avais ainsi usé par pure modestie; mais aujourd'hui que mes ouvrages sont entre les mains de tout le monde, il m'a paru que cette modestie pourrait avoir quelque chose d'affecté. D'ailleurs j'ai été bien aise, en le mettant à la tête de mon livre, de faire voir par là quels sont précisément les ouvrages que j'avoue, et d'arrêter, s'il est possible, le cours d'un nombre infini de méchantes* pièces qu'on répand partout sous mon nom, et principalement dans les provinces et dans les pays étrangers. J'ai même, pour mieux prévenir cet inconvénient, fait mettre au commencement de ce volume une liste exacte et détaillée de tous mes écrits, et on la trouvera immédiatement après cette préface. Voilà de quoi il est bon que le lecteur soit instruit.

Il ne reste plus présentement qu'à lui dire quels sont les ouvrages dont j'ai augmenté ce volume. Le plus considérable est une onzième satire que j'ai tout récemment composée[9], et qu'on trouvera à la suite des dix précédentes. Elle est adressée à M. de Valincour[10], mon illustre associé à l'histoire. J'y traite du vrai et du faux honneur, et je l'ai composée avec le même soin que tous mes autres écrits. Je ne saurais pourtant dire si elle est bonne ou mauvaise : car je ne l'ai encore commu-

---

9. La *Satire XI* a été composée en 1698; 10. *Valincour* (Jean-Baptiste Henri du Trousset, sieur de) [1653-1730] : il fut l'ami de Racine et de Boileau. C'est grâce à ce dernier qu'il devint, en 1699, historiographe du roi, en remplacement de Racine qui venait de mourir.

niquée qu'à deux ou trois de mes amis, à qui même je n'ai fait que la réciter fort vite, dans la peur qu'il ne lui arrivât ce qui est arrivé à quelques autres de mes pièces, que j'ai vu devenir publiques avant même que je les eusse mises sur le papier; plusieurs personnes, à qui je les avais dites plus d'une fois, les ayant retenues par cœur, et en ayant donné des copies. C'est donc au public à m'apprendre ce que je dois penser de cet ouvrage, ainsi que de plusieurs autres petites pièces de poésie qu'on trouvera dans cette nouvelle édition, et qu'on y a mêlées parmi les épigrammes qui y étaient déjà. Ce sont toutes bagatelles, que j'ai la plupart composées dans ma première jeunesse, mais que j'ai un peu rajustées, pour les rendre plus supportables au lecteur. J'y ai fait aussi ajouter deux nouvelles lettres; l'une que j'écris à M. Perrault, et où je badine avec lui sur notre démêlé poétique, presque aussitôt éteint qu'allumé[11]; l'autre est un remerciement à M. le comte d'Ériceira[12] au sujet de la traduction de mon *Art poétique* faite par lui en vers portugais, qu'il a eu la bonté de m'envoyer de Lisbonne, avec une lettre et des vers français de sa composition, où il me donne des louanges très délicates, et auxquelles il ne manque que d'être appliquées à un meilleur sujet. J'aurais bien voulu pouvoir m'acquitter de la parole que je lui donne à la fin de ce remerciement, de faire imprimer cette excellente traduction à la suite de mes poésies; mais malheureusement un de mes amis[13], à qui je l'avais prêtée, m'en a égaré le premier chant et j'ai eu la mauvaise honte de n'oser récrire à Lisbonne pour en avoir une autre copie! Ce sont là à peu près tous les ouvrages de ma façon, bons ou méchants, dont on trouvera ici mon livre augmenté. Mais une chose qui sera sûrement agréable au public, c'est le présent que je lui fais dans ce même livre, de la lettre que le célèbre M. Arnauld a écrite à M. P...[14], à propos de ma dixième satire, et où, comme je l'ai dit dans l'épître « A mes vers », il fait en quelque sorte mon apologie. J'ai mis cette lettre la dernière de tout le volume, afin qu'on la trouvât plus aisément. Je ne doute point que beaucoup de gens ne m'accusent de témérité, d'avoir osé associer à mes écrits l'ouvrage d'un si excellent homme; et j'avoue

---

11. Voir cette lettre à la page 102; 12. *Le comte d'Ériceira :* « un seigneur des plus qualifiés du Portugal » selon l'expression d'une lettre de Boileau à Brossette (10-VII-1701), dont la traduction portugaise de *l'Art poétique* est restée inédite. Boileau écrivit sans doute sa lettre de remerciement en 1697; 13. Régnier-Desmarais (1632-1713), secrétaire perpétuel de l'Académie française depuis 1684; 14. Voir la Notice de la *Lettre à Perrault*.

que leur accusation est bien fondée : mais le moyen de résister à la tentation de montrer à toute la terre, comme je le montre en effet par l'impression de cette lettre, que ce grand personnage me faisait l'honneur de m'estimer, et avait la bonté *Meas esse aliquid putare nugas*[15] *?*

Au reste, comme malgré une apologie si authentique, et malgré les bonnes raisons que j'ai vingt fois alléguées en vers et en prose[16], il y a encore des gens qui traitent de médisances les railleries que j'ai faites de quantité d'auteurs modernes, et qui publient qu'en attaquant les défauts de ces auteurs, je n'ai pas rendu justice à leurs bonnes qualités, je veux bien, pour les convaincre du contraire, répéter encore ici les mêmes paroles que j'ai dites sur cela dans la préface de mes deux éditions précédentes[17]. Les voici : « Il est bon que le lecteur soit averti d'une chose : c'est qu'en attaquant dans mes ouvrages les défauts de plusieurs écrivains de notre siècle, je n'ai pas prétendu pour cela ôter à ces écrivains le mérite et les bonnes qualités qu'ils peuvent avoir d'ailleurs. Je n'ai pas prétendu nier, dis-je, que Chapelain, par exemple, quoique poète fort dur, n'ait pas fait autrefois, je ne sais comment, une assez belle ode[18] et qu'il n'y ait point d'esprit dans les ouvrages de M. Quinault, quoique si éloignés de la perfection de Virgile. J'ajouterai même, sur ce dernier, que dans le temps où j'écrivis contre lui, nous étions tous deux fort jeunes, et qu'il n'avait pas fait alors beaucoup d'ouvrages qui lui ont dans la suite acquis une juste réputation. Je veux bien aussi avouer qu'il y a du génie* dans les écrits de Saint-Amant, de Brébeuf, de Scudéri, de Cotin même et de plusieurs autres que j'ai critiqués. En un mot, avec la même sincérité que j'ai raillé de ce qu'ils ont de blâmable, je suis prêt à convenir de ce qu'ils peuvent avoir d'excellent. Voilà, ce me semble, leur rendre justice, et faire bien voir que ce n'est point un esprit d'envie et de médisance qui m'a fait écrire contre eux.

Après cela, si on m'accuse encore de médisance, je ne sais point de lecteur qui n'en doive aussi être accusé, puisqu'il n'y en a point qui ne dise librement son avis des écrits qu'on fait imprimer, et qui ne se croie en plein droit de le faire, du

---

15. *Catulle*, épigramme à Cornelius Nepos; 16. Voir le *Discours sur la Satire* et la *Satire IX;* 17. A quelques variantes près, Boileau va reprendre jusqu'à « [...] qui m'a fait écrire contre eux » ce qu'il avait écrit dans la Préface des éditions de 1683, 1685 et 1694; 18. L'*Ode à Richelieu*, sans doute.

consentement même de ceux qui les mettent au jour. En effet, qu'est-ce que mettre un ouvrage au jour? N'est-ce pas en quelque sorte dire au public : Jugez-moi? Pourquoi donc trouver mauvais qu'on nous juge? Mais j'ai mis tout ce raisonnement en rimes dans ma neuvième satire, et il suffit d'y renvoyer mes censeurs.

QUESTIONS

■ SUR L'ENSEMBLE DE LA PRÉFACE. — Quelles distinctions Boileau fait-il entre les personnes qui composent le public? Au goût de qui les belles œuvres doivent-elles un succès durable? Analysez les principes d'esthétique classique qui se dégagent de cette préface : accord du beau et du vrai; nécessité du travail scrupuleux; naturel; utilité de la critique, etc.

« L'Inspiration du poète. »

Peinture de Nicolas Poussin. Paris. musée du Louvre.

Phot. Giraudon.

L'ART POÉTIQUE

CHANT PREMIER

C'est en vain qu'au Parnasse un téméraire auteur
Pense de l'art des vers atteindre la hauteur :
S'il ne sent point du ciel l'influence[19] secrète,
Si son astre en naissant ne l'a formé poète,
5 Dans son génie* étroit il est toujours captif :
Pour lui Phébus est sourd, et Pégase est rétif.
Ô vous donc qui, brûlant d'une ardeur périlleuse,
Courez du bel esprit la carrière épineuse,
N'allez pas sur des vers sans fruit vous consumer,
10 Ni prendre pour génie* un amour de rimer :
Craignez d'un vain plaisir les trompeuses amorces[20],
Et consultez longtemps votre esprit et vos forces[21].
La nature, fertile en esprits excellents,
Sait entre les auteurs partager[22] les talents :
15 L'un peut tracer en vers une amoureuse flamme;
L'autre d'un trait plaisant* aiguiser l'épigramme*;
Malherbe d'un héros peut vanter les exploits;
Racan, chanter Philis, les bergers et les bois :
Mais souvent un esprit qui se flatte et qui s'aime
20 Méconnaît son génie*, et s'ignore soi-même.

---

19. *Influence :* « qualité qu'on dit s'écouler du corps des astres [...] à qui les astronomes attribuent tous les événements qui arrivent sur la terre » (*Dictionnaire* de Furetière, 1690); **20.** *Amorce :* séduction; attrait; **21.** « Choisissez un sujet adapté à vos forces; examinez longtemps ce que vos épaules sont capables de porter, ce qu'elles se refusent à soutenir » (Horace, *Art poétique*, vers 38-40); **22.** *Partager :* donner en partage.

QUESTIONS

● VERS 1-12. Montrez que pour Boileau c'est la nature, plus encore que l'art et l'étude, qui fait le poète. Comparez ce passage à cet extrait d'une lettre de Balzac à Conrart, du 7 décembre 1640 : « Les règles s'apprennent par le temps et l'étude donne l'art aux moins heureuses naissances. Il n'y a que cette force secrète dont les paroles sont animées qui vienne immédiatement du ciel, d'où vient avec elle la grandeur et la majesté. » — Définissez le caractère de l'inspiration d'après ces vers de Boileau. A-t-il connu pour sa part la « force secrète » dont parle Balzac? Qu'est-ce qu'un poète sans l'inspiration? — Montrez que Boileau reprend aux vers 9 et 10 un conseil déjà donné à Cotin dans la *Satire VII* (vers 239-242) et à Chapelain dans la *Satire IV* (vers 90).

Ainsi tel[23] autrefois qu'on vit avec Faret[24]
Charbonner de ses vers les murs d'un cabaret[25],
S'en va, mal à propos, d'une voix insolente[26],
Chanter du peuple hébreu la fuite triomphante,
25 Et, poursuivant Moïse au travers des déserts,
Court avec Pharaon se noyer dans les mers[27].
Quelque sujet qu'on traite, ou plaisant*, ou sublime*,
Que toujours le bon sens s'accorde avec la rime :
L'un l'autre vainement ils semblent se haïr;
30 La rime est une esclave, et ne doit qu'obéir.
Lorsqu'à la bien chercher d'abord on s'évertue,
L'esprit à la trouver aisément s'habitue;
Au joug de la raison sans peine elle fléchit,
Et, loin de la gêner[28], la sert et l'enrichit.
35 Mais lorsqu'on la néglige, elle devient rebelle,
Et pour la rattraper le sens court après elle.
Aimez donc la raison : que toujours vos écrits
Empruntent d'elle seule et leur lustre et leur prix[29].

---

23. *Tel :* Saint-Amant (voir l'Index); **24.** *Faret :* « auteur du livre intitulé *l'Honnête Homme* et ami de Saint-Amant » (note de Boileau, édition de 1713); **25.** Souvenir de Martial (*Epigramme* 1, 12, 61), qui avait présenté « un poète ivre qui écrit des poèmes au charbon ou à la craie sur les murs d'une taverne enfumée ». Mais si *Faret* rime ici avec *cabaret*, c'est surtout en souvenir des plaisanteries de Saint-Amant, par exemple celle-ci : « Chère rime de cabaret, Mon cœur, mon aimable Faret »; **26.** *Insolente :* téméraire, audacieuse; **27.** Furetière avait déjà nommé *Moïse noyé* l'idylle héroïque de Saint-Amant intitulée *Moïse sauvé ;* **28.** *Gêner :* soumettre à une contrainte pénible; **29.** Furetière avait déjà raconté, dans sa *Nouvelle allégorique* (1658), la guerre qui mettait aux prises les Rimes et la Raison dans le Royaume de poésie. Chacun des partis prétendait dominer l'autre, mais les « lois fondamentales de l'État étaient qu'il fallait premièrement faire un fonds de raison, et puis y ajouter de la Rime si on en pouvait trouver ».

QUESTIONS

● VERS 13-26. Quels sont les genres littéraires évoqués par Boileau? — Sur quoi fonde-t-il la distinction des genres? — Expliquez l'attitude de Boileau à l'égard de Malherbe et de Racan d'une part, et de Faret et de Saint-Amant d'autre part.

● VERS 27-38. Par quelles expressions le caractère impérieux de la raison s'exprime-t-il? — En quoi consiste le conflit entre les rimes et la raison? Comment une rime bien trouvée peut-elle servir et enrichir la raison? Comparez ces vers au chapitre V de la *Lettre à l'Académie* de Fénelon. — D'après la *Satire II* (« à Molière »), montrez que Boileau a pu s'inspirer de son expérience personnelle pour écrire ce passage. — Aux dépens de quelles qualités du poète la raison est-elle privilégiée? — Rapprochez ces vers des déclarations des grands classiques : Molière (*la Critique de « l'École des femmes »*, scène III), La Fontaine (Préface des *Contes* de 1665), Racine (Première Préface de *Britannicus*).

La plupart, emportés d'une fougue insensée,
40 Toujours loin du droit sens[30] vont chercher leur pensée :
Ils croiraient s'abaisser, dans leurs vers monstrueux,
S'ils pensaient ce qu'un autre a pu penser comme eux.
Évitons ces excès : laissons à l'Italie[31]
De tous ces faux brillants l'éclatante folie.
45 Tout doit tendre au bon sens : mais, pour y parvenir,
Le chemin est glissant et pénible à tenir;
Pour peu qu'on s'en écarte, aussitôt l'on se noie.
La raison pour marcher n'a souvent qu'une voie[32].
Un auteur quelquefois trop plein de son objet
50 Jamais sans l'épuiser n'abandonne un sujet.
S'il rencontre un palais, il m'en dépeint la face[33];
Il me promène après de terrasse en terrasse;
Ici s'offre un perron; là règne un corridor,
Là ce balcon s'enferme en un balustre d'or.
55 Il compte des plafonds les ronds et les ovales;
« Ce ne sont que festons[34], ce ne sont qu'astragales[35]. »
Je saute vingt feuillets pour en trouver la fin,
Et je me sauve à peine[36] au travers du jardin.
Fuyez de ces auteurs l'abondance stérile,
60 Et ne vous chargez point d'un détail inutile.
Tout ce qu'on dit de trop est fade et rebutant;
L'esprit rassasié le rejette à l'instant[37].

---

30. *Sens :* jugement, goût; **31.** *Italie :* l'influence italienne s'était fortement manifestée en France dès la fin du XVIe siècle et pendant toute la première moitié du XVIIe siècle. Le représentant le plus notable de la préciosité et de la fantaisie italiennes est Marino, dont l'*Adone*, poème de 4 000 vers, fut publié en 1623; **32.** « La raison tient de la vérité, on n'y arrive que par un chemin, on s'en écarte par mille » (La Bruyère, *Caractères*, XI, 156); **33.** *Face :* façade; **34.** *Feston :* guirlande; **35.** *Astragale :* moulure, ornement. Le vers de *Alaric ou Rome vaincue* (1654) de Georges de Scudéry est le suivant : « Ce ne sont que festons, ce ne sont que couronnes. » La description des palais, enchantés ou non, était de règle dans les épopées. Scudéry consacre 500 vers au palais, autant au jardin; **36.** *A peine :* avec peine; **37.** « Tout le superflu est rejeté par un estomac plein » (Horace, *Art poétique*, vers 337).

QUESTIONS

● VERS 39-48. Quels sont les deux écueils à éviter pour le poète? En quoi consiste la véritable originalité pour Boileau? Rapprochez les vers 41 et 42 de la Préface de 1701, et du portrait d'Acis, dans les *Caractères* de La Bruyère (V, 7). Au nom de quels principes Boileau réagit-il contre la poésie italienne? Relevez les expressions qui soulignent la vigueur de sa protestation. — Ces principes définissent-ils essentiellement les qualités de la poésie? Des dangers aussi graves que les défauts dénoncés ne pourraient-ils pas menacer le poète qui prendrait ces préceptes à la lettre?

Qui ne sait se borner ne sut jamais écrire.
Souvent la peur d'un mal nous conduit dans un pire[38].
65 Un vers était trop faible, et vous le rendez dur;
J'évite d'être long, et je deviens obscur[39];
L'un n'est point trop fardé[40], mais sa muse est trop nue;
L'autre a peur de ramper, il se perd dans la nue[41],
Voulez-vous du public mériter les amours,
70 Sans cesse en écrivant variez vos discours*.
Un style trop égal et toujours uniforme
En vain brille à nos yeux, il faut qu'il nous endorme.
On lit peu ces auteurs, nés pour nous ennuyer,
Qui toujours sur un ton semblent psalmodier.
75 Heureux qui, dans ses vers, sait d'une voix légère
Passer du grave au doux, du plaisant* au sévère!
Son livre, aimé du ciel, et chéri des lecteurs,
Est souvent chez Barbin[42] entouré d'acheteurs.
Quoi que vous écriviez, évitez la bassesse :
80 Le style le moins noble a pourtant sa noblesse.

---

38. « Pour fuir une faute on tombe dans le défaut opposé » (Horace, *Art poétique*, vers 31); **39.** « Je m'efforce d'être bref, je deviens obscur » (Horace, *Art poétique*, vers 25-26); **40.** *Fardé :* chargé d'ornements; **41.** « Qu'en voulant éviter la terre, il ne se perde pas dans les nuages et le vide » (Horace, *Art poétique*, vers 230); **42.** *Barbin :* libraire du Palais. C'est lui qui a été le premier éditeur des *Satires* de Boileau, en 1666.

QUESTIONS

● VERS 49-63. Quel est le reproche essentiel adressé à Scudéry? Comment peut-on interpréter, après la lecture de ce passage, le vers 258 du chant III? — Quel est le caractère de la description visée par Boileau? En quoi ces descriptions diffèrent-elles de celles d'un Balzac? — Votre expérience de lecteur de romans vous a-t-elle inspiré les mêmes réactions qu'à Boileau? Pour quelles raisons? — Appréciez, du point de vue de la brièveté, les œuvres classiques que vous connaissez.

● VERS 64-78. Quel est le sens de l'expression : *variez vos discours?* Dans quel sens les vers 260 et 266 du chant III précisent-ils la pensée de Boileau? Prône-t-il, avec la variété, la juxtaposition des tons? Comparez ce passage à cet extrait de la Préface de *Psyché* de La Fontaine : « Mes personnages me demandaient quelque chose de galant; leurs aventures étant pleines de merveilleux en beaucoup d'endroits, me demandaient quelque chose d'héroïque et de relevé. D'employer l'un en un endroit, et l'autre en un autre, il n'est pas permis : l'uniformité de style est la règle la plus étroite que nous ayons. » — Montrez comment Boileau a essayé de résoudre le problème qui consiste à varier les tons sans créer de discordance. A-t-il réussi? — Montrez que Boileau joint l'exemple à la leçon donnée au vers 42 : comment, selon une autre de ces expressions, « joute-t-il » avec son modèle, qui est ici Horace?

Au mépris du bon sens, le burlesque* effronté[43]
Trompa les yeux d'abord*, plut par sa nouveauté :
On ne vit plus en vers que pointes* triviales;
Le Parnasse parla le langage des halles;
85 La licence à rimer alors n'eut plus de frein;
Apollon travesti devint un Tabarin[44].
Cette contagion infecta les provinces,
Du clerc et du bourgeois passa jusques aux princes :
Le plus mauvais plaisant* eut ses approbateurs;
90 Et, jusqu'à d'Assoucy, tout trouva des lecteurs.
Mais de ce style enfin la cour désabusée
Dédaigna de ces vers l'extravagance aisée,
Distingua le naïf* du plat et du bouffon,
Et laissa la province admirer le Typhon[45].
95 Que ce style jamais ne souille votre ouvrage.
Imitons de Marot l'élégant badinage,
Et laissons le burlesque* aux plaisants* du pont Neuf[46]
Mais n'allez point aussi, sur les pas de Brébeuf,
Même en une Pharsale, entasser sur les rives,
100 « De morts et de mourants cent montagnes plaintives[47]. »
Prenez mieux votre ton. Soyez simple avec art,
Sublime* sans orgueil, agréable sans fard.
N'offrez rien au lecteur que ce qui peut lui plaire.
Ayez pour la cadence[48] une oreille sévère :

---

43. « Le style burlesque fut extrêmement en vogue depuis le commencement du siècle dernier jusque vers 1660, qu'il tomba » (note de Boileau, édition de 1713); 44. Allusion, selon Brossette, au *Virgile travesti* de Scarron (voir l'Index) [1648-1653]; *Tabarin :* célèbre bouffon de foire (1584-1626), établi sur le Pont-Neuf et la place Dauphine; 45. *Le Typhon ou la Gigantomachie*, de Scarron, fixa la formule du burlesque en France, en 1644; 46. « Les vendeurs de mithridate, espèce d'antidote contre les poisons, et les joueurs de marionnettes se mettent depuis longtemps sur le Pont-Neuf » (note de Boileau, édition de 1713); 47. « De morts et de mourants cent montagnes plaintives », chant VI de *la Pharsale* de Brébeuf, traduit du vers 648, chant VII, de *la Pharsale* de Lucain; 48. *Cadence :* rythme de l'accentuation.

QUESTIONS

● VERS 79-102. En quoi consiste la noblesse du style pour Boileau? Que reproche-t-il au burlesque? — En quoi le style du *Lutrin*, le poème héroï-comique de Boileau, se distingue-t-il de celui de Scarron et de D'Assoucy? Que reproche-t-on à Brébeuf? — Montrez que la simplicité du ton ne se sépare pas, pour Boileau, d'une certaine recherche. — Comment les modes littéraires se répandent-elles, d'après ce passage? — Qui représente le bon goût en dépit de certaines défaillances passagères? Montrez que Boileau partage sur ce point l'opinion de Molière (*la Critique de « l'École des femmes »*, scène VI, ou *les Femmes savantes*, vers 1331 et suivants) et de La Bruyère (*Caractères*, V, 71).

105 Que toujours dans vos vers le sens coupant les mots,
Suspende l'hémistiche, en marque le repos.
Gardez[49] qu'une voyelle à courir trop hâtée
Ne soit d'une voyelle en son chemin heurtée.
Il est un heureux choix de mots harmonieux.
110 Fuyez des mauvais sons le concours[50] odieux :
Le vers le mieux rempli, la plus noble pensée
Ne peut plaire à l'esprit quand l'oreille est blessée.
Durant les premiers ans du Parnasse français
Le caprice tout seul faisait toutes les lois.
115 La rime, au bout des mots assemblés sans mesure[51],
Tenait lieu d'ornements, de nombre[52] et de césure.
Villon sut le premier dans ces siècles grossiers,
Débrouiller l'art confus de nos vieux romanciers[53].
Marot bientôt après fit fleurir les ballades*,
120 Tourna des triolets*, rima des mascarades[54],
A des refrains réglés asservit les rondeaux*,
Et montra pour rimer des chemins tout nouveaux.
Ronsard, qui le suivit par une autre méthode,
Réglant tout, brouilla tout, fit un art à sa mode,
125 Et toutefois longtemps eut un heureux destin.
Mais sa muse, en français parlant grec et latin,

---

49. *Garder :* empêcher; **50.** *Concours :* rencontre, heurt; **51.** *Mesure :* la longueur des vers; **52.** *Nombre :* harmonie d'un vers résultant du rythme; **53.** « La plupart de nos anciens romans sont en vers confus et sans ordre, comme *le Roman de la Rose* et plusieurs autres » (note de Boileau, édition de 1713). On appelait « romans », au Moyen Age, les poèmes écrits en langue romane, c'est-à-dire en français; **54.** Marot n'a pas écrit de triolets ni de rimes de mascarades. La Fontaine commet la même erreur dans *Clymène*, publié en 1671.

QUESTIONS

● VERS 103-112. Quelles règles précises de la versification sont évoquées ici? — Boileau est-il le premier à les avoir formulées avec autant de rigueur? — Les a-t-il toujours respectées? Recherchez, dans *l'Art poétique*, dans les *Satires* et dans les *Épîtres*, des exemples des heureuses libertés qu'il a su prendre avec ces règles, et qu'il avoue dans l'*Épître IX* (vers 49-52). — Quelle est, selon Boileau, la nature du plaisir poétique?

● VERS 113-130. A propos des vers 114-116, rappelez-vous, par exemple, *la Chanson de Roland :* le terme de rime vous paraît-il convenir? Les jugements exprimés dans ces vers vous semblent-ils fondés? — Vers 117 : de qui Boileau tenait-il son mépris du Moyen Age? A quel moment a-t-on enfin reconnu à l'art de cette époque son mérite éminent? — Vers 118 : pourquoi l'art des *vieux romanciers* est-il confus selon Boileau? En quoi les poèmes de Villon ont-ils pu paraître en *débrouiller* la confusion? — Quels sont les reproches adressés à Ronsard?

Vit dans l'âge suivant, par un retour[55] grotesque,
Tomber de ses grands mots le faste pédantesque.
Ce poète orgueilleux, trébuché[56] de si haut,
130 Rendit plus retenus Desportes et Bertaut.
Enfin Malherbe vint, et, le premier en France,
Fit sentir dans les vers une juste cadence,
D'un mot mis en sa place enseigna le pouvoir,
Et réduisit[57] la muse aux règles du devoir.
135 Par ce sage écrivain la langue réparée
N'offrit plus rien de rude à l'oreille épurée.
Les stances avec grâce apprirent à tomber,
Et le vers sur le vers n'osa plus enjamber.
Tout reconnut ses lois; et ce guide fidèle[58]
140 Aux auteurs de ce temps sert encor de modèle.
Marchez donc sur ses pas; aimez sa pureté,
Et de son tour heureux imitez la clarté.
Si le sens de vos vers tarde à se faire entendre[59],
Mon esprit aussitôt commence à se détendre[60],
145 Et, de vos vains* discours* prompt à se détacher,
Ne suit point un auteur qu'il faut toujours chercher.
Il est certains esprits dont les sombres[61] pensées
Sont d'un nuage épais toujours embarrassées;
Le jour de la raison ne le saurait percer.
150 Avant donc que d'écrire apprenez à penser[62].
Selon que notre idée est plus ou moins obscure,
L'expression la suit, ou moins nette, ou plus pure[63].
Ce que l'on conçoit bien s'énonce clairement,
Et les mots pour le dire arrivent aisément.
155 Surtout, qu'en vos écrits la langue révérée

55. *Retour* : revirement; 56. *Trébucher* : tomber, brusquement et de haut; 57. *Réduire* : ramener à; 58. *Fidèle* : auquel on peut se fier; 59. *Entendre* : comprendre; 60. *Se détendre* : ne plus prêter attention; 61. *Sombre* : obscur; 62. « Bien penser, voilà le principe et la source du style » (Horace, *Art poétique*, vers 309); 63. « Que la pensée ait été méditée à l'avance, les mots la suivront d'eux-mêmes » (Horace, *Art poétique*, vers 311).

QUESTIONS

● Vers 131-154. Quels sont les trois domaines où l'action de Malherbe s'est exercée, d'après Boileau? Quelle qualité de cet écrivain se trouve mise surtout en valeur? Est-il jugé en tant que poète? — *Tout reconnut*, écrit Boileau au vers 139 : ne connaissez-vous pas des poètes qui résistèrent à la réforme de Malherbe? Citez-les et dites au nom de quels principes ils s'opposèrent à lui. — Comment l'exigence de clarté procède-t-elle du culte de la raison?

Dans vos plus grands excès vous soit toujours sacrée.
En vain vous me frappez d'un son mélodieux,
Si le terme est impropre, ou le tour* vicieux;
Mon esprit n'admet point un pompeux* barbarisme,
160 Ni d'un vers ampoulé l'orgueilleux solécisme.
Sans la langue, en un mot, l'auteur le plus divin[64]
Est toujours, quoi qu'il fasse, un méchant*[65] écrivain.
Travaillez à loisir, quelque ordre qui vous presse,
Et ne vous piquez point d'une folle vitesse[66];
165 Un style si rapide, et qui court en rimant,
Marque moins trop d'esprit, que peu de jugement.
J'aime mieux un ruisseau qui sur la molle arène[67]
Dans un pré plein de fleurs lentement se promène,
Qu'un torrent débordé qui, d'un cours orageux,
170 Roule, plein de gravier, sur un terrain fangeux.
Hâtez-vous lentement[68]; et, sans perdre courage,
Vingt fois sur le métier remettez votre ouvrage :
Polissez-le sans cesse et le repolissez;
Ajoutez quelquefois, et souvent effacez[69].
175 C'est peu qu'en un ouvrage où les fautes fourmillent,
Des traits d'esprit[70] semés de temps en temps pétillent.
Il faut que chaque chose y soit mise en son lieu;
Que le début, la fin répondent au milieu[71];
Que d'un art délicat les pièces assorties
180 N'y forment qu'un seul tout de diverses parties;
Que jamais du sujet le discours* s'écartant

---

64. *Divin :* inspiré; **65.** *Méchant :* mauvais, de mauvaise qualité; **66.** « Scudéry disait toujours pour s'excuser de travailler si vite qu'il avait ordre de finir » (note de Boileau); **67.** *Arène :* sable; **68.** « Hâtez-vous lentement » : maxime familière à l'empereur Auguste; **69.** « Retourne souvent ton style (pour effacer) si tu veux écrire de manière à être digne qu'on te lise » (Horace, *Art poétique*, vers 291-294); **70.** *Trait d'esprit :* passage brillant; **71.** « Que le milieu ne soit pas en désaccord avec le début, le début avec la fin » (Horace, *Art poétique*, vers 152).

QUESTIONS

● VERS 155-174. Que désigne le mot *excès* au vers 156? Montrez que ni la richesse de l'inspiration ni l'harmonie des vers ne doivent être inséparables de la pureté de la langue. En quoi consiste cette pureté? A quel prix y parvient-on? — Relevez les mots qui révèlent le respect quasi religieux de Boileau pour la langue. En vous reportant à l'*Épître II* (vers 8 à 16, contre Linière) et à la *Satire II* (vers 77 et suivants, contre Scudéry), dites pourquoi Boileau s'insurgeait contre la précipitation. — Les grands classiques travaillaient-ils vite? — Les images des vers 167 et 170 ne sont-elles qu'un simple ornement?

N'aille chercher trop loin quelque mot éclatant.
Craignez-vous pour vos vers la censure*[72] publique?
Soyez-vous à vous-même un sévère critique[73].
185 L'ignorance toujours est prête à s'admirer[74].
Faites-vous des amis prompts à vous censurer[75];
Qu'ils soient de vos écrits les confidents sincères
Et de tous vos défauts les zélés adversaires.
Dépouillez devant eux l'arrogance d'auteur;
190 Mais sachez de l'ami discerner le flatteur
Tel vous semble applaudir, qui vous raille et vous joue.
Aimez qu'on vous conseille et non pas qu'on vous loue.
Un flatteur aussitôt cherche à se récrier[76] :
Chaque vers qu'il entend le fait extasier.
195 Tout est charmant, divin[77] : aucun mot ne le blesse;
Il trépigne de joie, il pleure de tendresse;
Il vous comble partout d'éloges fastueux :
La vérité n'a point cet air impétueux.

---

72. *Censure :* critique, blâme; 73. « Celui qui désire faire un poème selon les règles prendra à l'égard de son œuvre l'état d'esprit d'un critique juste » (Horace, *Épître II*, II); 74. « On se moque des mauvais poètes, mais eux-mêmes sont contents de ce qu'ils écrivent, en eux-mêmes ils s'admirent, et dans leur satisfaction ils louent ce qu'ils ont écrit » (Horace, *Épître II*, II); 75. « Longin nous donne par son exemple un des plus importants préceptes de la rhétorique, qui est de consulter nos amis sur nos œuvres et de nous accoutumer de bonne heure à ne nous point flatter », écrira Boileau en 1693, dans sa première des *Réflexions sur Longin;* 76. *Se récrier :* « faire une exclamation sur quelque chose qui nous surprend et qui nous paraît extraordinaire. [...] Il se récria aux beaux endroits du sermon » (*Acad.*, 1694); 77. « Amas d'épithètes, mauvaises louanges » (La Bruyère, *Caractères*, I, 13).

QUESTIONS

● VERS 175-182. Comparez le vers 177 aux vers 133 et 202 du même chant. Comment, dans l'art classique, chaque détail doit-il concourir à la beauté de l'ensemble? — Comparez ces vers de Boileau au passage suivant des *Réflexions sur « la Poétique »*, du P. Rapin : « C'est cet arrangement et cette ordonnance des choses qui fait cette admirable régularité et cette proportion dans laquelle seule consiste la perfection d'un grand ouvrage, qui n'est ni beau ni accompli qu'autant qu'il y a de correspondance entre ses parties. » Montrez comment cette exigence rigoureuse d'unité complète la règle de l'uniformité dont parle La Fontaine dans le passage cité plus haut. Est-elle inconciliable avec la variété mentionnée au vers 70?

● VERS 183-192. Comparez le vers 191 aux vers 86-88 de la *Satire VII.* — Montrez, en vous reportant aux vers 55 et 74 de l'*Épître VII*, « à M. Racine » (1677), que, pour Boileau également, les critiques des ennemis sont aussi « utiles » que celles des amis. Vérifiez-le en vous reportant au vers 80 du chant IV de *l'Art poétique*, et au vers 68, également corrigé par lui, de la *Satire VII.*

Un sage ami, toujours rigoureux, inflexible,
200 Sur vos fautes jamais ne vous laisse paisible :
Il ne pardonne point les endroits négligés,
Il renvoie en leur lieu les vers mal arrangés,
Il réprime des mots l'ambitieuse emphase;
Ici le sens le choque, et plus loin c'est la phrase.
205 Votre construction semble un peu s'obscurcir;
Ce terme est équivoque*[78], il le faut éclaircir.
C'est ainsi que vous parle un ami véritable.
Mais souvent sur ses vers un auteur intraitable
A les protéger tous se croit intéressé,
210 Et d'abord* prend en main le droit de l'offensé.
De ce vers, direz-vous, l'expression est basse[79], —
Ah! monsieur, pour ce vers je vous demande grâce,
Répondra-t-il d'abord*. — Ce mot me semble froid*;
Je le retrancherais. — C'est le plus bel endroit! —
215 Ce tour* ne me plaît pas. — Tout le monde l'admire.
Ainsi toujours constant à ne se point dédire,
Qu'un mot dans son ouvrage ait paru vous blesser,
C'est un titre chez lui pour ne point l'effacer.
Cependant, à l'entendre, il chérit la critique;
220 Vous avez sur ses vers un pouvoir despotique,
Mais tout ce beau discours* dont il vient vous flatter[80]
N'est rien qu'un piège adroit pour vous les réciter.
Aussitôt il vous quitte; et, content de sa muse,
S'en va chercher ailleurs quelque fat* qu'il abuse :
225 Car souvent il en trouve : ainsi qu'en sots auteurs,
Notre siècle est fertile en sots admirateurs;
Et, sans[81] ceux que fournit la ville et la province,

---

78. Dans son *Discours de l'auteur pour servir d'apologie à la Satire XII* « *Sur l'équivoque* » (1705), Boileau confiera : c'est en voulant corriger une équivoque que l'idée germa « de faire contre l'équivoque même une satire qui pût me venger de tous les chagrins qu'elle m'a causés depuis que je me mêle d'écrire »; **79.** *Un style bas :* « celui qui est « plein de manières de parler populaires et triviales » (*Acad.*, 1694). *Un mot bas :* « qui ne se dit que par le peuple » (Furetière, 1690); **80.** *Flatter :* bercer d'illusions; **81.** *Sans :* sans compter.

QUESTIONS

● VERS 193-207. Quels sont les défauts relevés par l'ami véritable? En avez-vous déjà trouvé mention? — Comparez le portrait du flatteur avec les remarques de La Bruyère au chapitre premier des *Caractères*.

● VERS 208-222. Comparez ce passage avec la scène II du premier acte du *Misanthrope*.

Il en est chez le duc, il en est chez le prince.
L'ouvrage le plus plat a, chez les courtisans,
230 De tout temps rencontré de zélés partisans;
Et, pour finir enfin par un trait de satire,
Un sot trouve toujours un plus sot qui l'admire.

QUESTIONS

● VERS 223-232. Relevez les traits de satire de la fin de ce chant. Comparez ce passage avec les précédents, tout imités d'Horace : quelles différences et quelles ressemblances remarquez-vous? Que conclure du travail et de l'inspiration de Boileau?

■ SUR L'ENSEMBLE DU CHANT PREMIER. — A quel point de vue Boileau évoque-t-il l'œuvre des poètes du passé au cours de ce chant? Comparez le jugement porté sur Ronsard avec celui de La Bruyère (*Caractères*, chapitre premier, 40 et 42) et de Fénelon *(Lettre à l'Académie)*.

— Quelle conception Boileau se fait-il de la poésie? Toute poésie doit-elle être forcément claire et réductible à la raison?

— Comparez la déclaration des vers 167 à 170 aux idées exprimées par Diderot dans *De la poésie dramatique* (1758), au chapitre XVIII.

CHANT II

Telle qu'une bergère, au plus beau jour de fête,
De superbes rubis ne charge point sa tête,
Et, sans mêler à l'or l'éclat des diamants,
Cueille en un champ voisin ses plus beaux ornements;
5 Telle, aimable en son air, mais humble[82] dans son style,
Doit éclater[83] sans pompe* une élégante idylle*.
Son tour* simple et naïf* n'a rien de fastueux,
Et n'aime point l'orgueil d'un vers présomptueux.
Il faut que sa douceur flatte, chatouille[84], éveille,
10 Et jamais de grands mots n'épouvante l'oreille.
Mais souvent dans ce style un rimeur aux abois
Jette là, de dépit, la flûte et le hautbois[85];
Et, follement pompeux*, dans sa verve indiscrète[86],
Au milieu d'une églogue* entonne la trompette[87].
15 De peur de l'écouter, Pan fuit dans les roseaux,
Et les Nymphes, d'effroi, se cachent sous les eaux.
Au contraire cet autre, abject en son langage,
Fait parler ses bergers comme on parle au village.
Ses vers plats et grossiers, dépouillés d'agrément,
20 Toujours baisent la terre, et rampent tristement :
On dirait que Ronsard, sur ses « pipeaux rustiques »,
Vient encor fredonner ses idylles* gothiques[88],
Et changer, sans respect de l'oreille et du son,
Lycidas en Pierrot, et Philis en Toinon.

---

82. *Humble :* simple; **83.** *Éclater :* briller, attirer l'attention par de vives beautés; **84.** *Chatouiller :* « donner un plaisir délicat et sensible » (*Dictionnaire* de Richelet, 1680); **85.** *Flûte et hautbois :* instruments de bergers, de tradition dans la poésie pastorale; **86.** *Indiscrète :* sans discernement, irréfléchi; **87.** Ce vers vise Charpentier (1621-1702), auteur de *Louis, églogue royale* (1663), Boileau l'avait déjà raillé dans son *Discours au roi* (1663); **88.** *Gothique :* barbare.

QUESTIONS

● VERS 1-24. Que désigne l'expression *entonner la trompette* au vers 14? Quel grand principe l'auteur visé par Boileau est-il accusé de méconnaître? — En quoi Boileau veut-il faire respecter la bienséance? (Vers 17 à 20.) — Vers 21-24 : formuleriez-vous encore des reproches du même ordre à l'égard des *Bergeries* de Ronsard? Pourquoi Boileau préfère-t-il Lycidas et Philis à Pierrot et Toinon? (Voir l'*Épître IV* et *l'Art poétique*, ch. III.) — A propos de quel auteur Boileau a-t-il déjà évoqué Philis? Pourquoi ne le cite-t-il pas ici? Connaissez-vous des personnages de Molière qui s'expriment à peu près « comme on parle au village »?

25 Entre ces deux excès la route est difficile.
Suivez, pour la trouver, Théocrite et Virgile[89] :
Que leurs tendres écrits, par les Grâces dictés,
Ne quittent point vos mains, jour et nuit feuilletés[90].
Seuls, dans leurs doctes vers, ils pourront vous apprendre
30 Par quel art sans bassesse un auteur peut descendre;
Chanter Flore, les champs, Pomone, les vergers;
Au combat de la flûte animer deux bergers[91],
Des plaisirs de l'amour vanter la douce amorce[92];
Changer Narcisse en fleur, couvrir Daphné d'écorce;
35 Et par quel art encor l'églogue* quelquefois
Rend dignes d'un consul la campagne et les bois[93].
Telle est de ce poème et la force et la grâce.
D'un ton un peu plus haut, mais pourtant sans audace,
La plaintive élégie*, en longs habits de deuil[94],
40 Sait, les cheveux épars, gémir sur un cercueil.
Elle peint des amants la joie et la tristesse;
Flatte, menace, irrite, apaise une maîtresse.
Mais, pour bien exprimer ces caprices heureux,
C'est peu d'être poète, il faut être amoureux.
45 Je hais ces vains* auteurs, dont la muse forcée
M'entretient de ses feux, toujours froide* et glacée;
Qui s'affligent par art, et, fous de sens rassis,
S'érigent pour rimer, en amoureux transis.
Leurs transports les plus doux ne sont que phrases vaines.
50 Ils ne savent jamais que se charger de chaînes,
Que bénir leur martyre, adorer leur prison[95],

---

89. « Les bergères de Guarini (auteur du *Pastor fido*) sont trop polies de même que celles de Ronsard sont trop grossières [...]. Les modèles qu'on doit se proposer dans ce genre de poésie sont Théocrite et Virgile [...]. Ronsard parmi nous n'a rien de tendre ni de délicat » (le P. Rapin, *Réflexions sur la poésie*); 90. « Que les modèles grecs soient sous vos mains déroulés et la nuit et le jour » (Horace, *Art poétique*, vers 268); 91. « Chantons en vers alternés, les Muses aiment les chants alternés » (Virgile, *Bucolique III*, vers 59); 92. *Amorce :* voir le vers 11 du chant premier et la note; 93. « Si nous chantons les forêts, que ces forêts soient dignes d'un consul » (Virgile, *Bucolique IV*, vers 3); 94. « Plaintive, dénoue, élégie, ta chevelure infortunée » (sur la tombe de Tibulle) [Ovide, *les Amours*, liv. III, vers 9]; 95. Voir le *Sonnet d'Uranie* de Voiture : « Je bénis mon martyre et, content de mourir, Je n'ose murmurer contre sa tyrannie ».

QUESTIONS

● VERS 25-37. Recherchez dans *les Métamorphoses* d'Ovide les épisodes ayant trait aux personnages mythologiques évoqués. — *Sur l'ensemble des vers 1 à 37.* Relevez les termes qui caractérisent la poésie bucolique. Montrez tout ce que ce genre ainsi défini a de conventionnel et précisez le sens à donner à l'expression *tour simple et naïf.*

Et faire quereller les sens et la raison.
Ce n'était pas jadis sur ce ton ridicule
Qu'Amour dictait les vers que soupirait Tibulle[96],
55 Ou que, du tendre Ovide animant les doux sons,
Il donnait de son art[97] les charmantes leçons.
Il faut que le cœur seul parle dans l'élégie*.
L'ode*, avec plus d'éclat, et non moins d'énergie,
Élevant jusqu'au ciel son vol ambitieux,
60 Entretient dans ses vers commerce avec les dieux[98].
Aux athlètes dans Pise[99] elle ouvre la barrière,
Chante un vainqueur poudreux[100] au bout de la carrière[101],
Mène Achille sanglant au bord du Simoïs[102],
Ou fait fléchir l'Escaut sous le joug de Louis[103].
65 Tantôt comme une abeille ardente à son ouvrage,
Elle s'en va de fleurs dépouiller le rivage[104];
Elle peint les festins, les danses et les ris;
Vante un baiser cueilli sur les lèvres d'Iris[105],
« Qui mollement résiste, et, par un doux caprice,
70 « Quelquefois le refuse, afin qu'on le ravisse. »

---

96. *Tibulle* (50-19 ou 18 avant J.-C.) : auteur d'élégies; **97.** Il s'agit de *l'Art d'aimer*, d'Ovide; **98.** « La muse permit à la lyre de raconter les dieux, l'athlète vainqueur, le cheval arrivé le premier dans la course, les soucis des jeunes gens et la liberté que donne le vin » (Horace, *Art poétique*, vers 53 et suivants); **99.** « Pise en Élide, où l'on célébrait les jeux Olympiques » (note de Boileau); **100.** *Poudreux :* couvert de poussière; **101.** *Carrière :* trajet, parcours; **102.** Dans le chant XV de *l'Iliade*, Achille, couvert du sang de ses ennemis, combat sur les bords du Simoïs; **103.** Voir l'*Ode sur la prise de Namur*, de Boileau; **104.** Voir Horace, *Odes* IV, II, vers 27-31; **105.** *Iris :* « nom traditionnel dans la poésie amoureuse ».

QUESTIONS

● VERS 38-57. Rapprochez les vers 45 et suivants des vers 257-264 de la *Satire IX*. Montrez l'importance que Boileau accorde à la sincérité. S'intéresse-t-il à l'élégie en technicien du vers? — Relevez les métaphores amoureuses raillées par Boileau. A quel genre de poésie appartenaient-elles? Au nom de quel principe sont-elles critiquées? — Expliquez l'expression *par art* et montrez-en la valeur satirique (voir aussi le vers 46 de la *Satire IX*). Par quelles figures de style Boileau dénonce-t-il l'incohérence et l'insincérité des mauvais poètes? — Quels modèles propose-t-il à ses contemporains? — Comparez son attitude à celle d'Alceste dans *le Misanthrope* de Molière.

● VERS 58-72. Quels sont les deux types d'odes évoqués par Boileau? A quel type semble-t-il accorder le plus d'importance? — Comment Boileau cherche-t-il à donner à Louis XIV la dignité d'un héros épique? — Montrez la part de réflexion — et peut-être aussi d'artifice — qui entre dans la recherche du « beau désordre ». — Comparez ce passage au *Discours sur l'Ode*.

Son style impétueux souvent marche au hasard.
Chez elle un beau désordre est un effet de l'art.
Loin[106] ces rimeurs craintifs dont l'esprit flegmatique[107]
Garde dans ses fureurs* un ordre didactique[108];
75 Qui, chantant d'un héros les progrès[109] éclatants,
Maigres[110] historiens, suivront l'ordre des temps.
Ils n'osent un moment perdre un sujet de vue,
Pour prendre Dole, il faut que Lille soit rendue[111];
Et que leur vers exact, ainsi que Mézerai[112],
80 Ait fait déjà tomber les remparts de Courtrai.
Apollon de son feu leur fut toujours avare.
On dit, à ce propos, qu'un jour ce dieu bizarre[113],
Voulant pousser à bout tous les rimeurs français,
Inventa du sonnet* les rigoureuses lois;
85 Voulut qu'en deux quatrains de mesure pareille
La rime avec deux sons frappât huit fois l'oreille;
Et qu'ensuite six vers artistement rangés
Fussent en deux tercets par le sens partagés.
Surtout de ce poème il bannit la licence[114] :
90 Lui-même en mesura le nombre et la cadence;
Défendit qu'un vers faible y pût jamais entrer,
Ni qu'un mot déjà mis osât s'y remontrer.
Du reste il l'enrichit d'une beauté suprême :
Un sonnet* sans défauts vaut seul un long poème.
95 Mais en vain mille auteurs y pensent arriver;
Et cet heureux phénix est encore à trouver.
A peine dans Gombaut, Maynard et Malleville,
En peut-on admirer deux ou trois entre mille[115] :
Le reste, aussi peu lu que ceux de Pelletier,

---

106. *Loin :* arrière, loin de moi; **107.** *Flegmatique :* faible, froid; **108.** *Didactique :* qui convient à la démonstration; **109.** *Progrès :* marche en avant; **110.** *Maigre :* sec; **111.** Dole fut prise le 14 février 1668, lors de la première campagne de Franche-Comté. Quant à Lille, elle se rendit le 18 juillet 1667 et Courtrai le 27 août de la même année, lors de la campagne de Flandres. Boileau a déjà évoqué ces campagnes en 1669, dans l'*Épître première* (vers 49-51); **112.** *Mézerai :* historiographe du roi, avant Racine et Boileau; **113.** *Bizarre :* capricieux; **114.** *Licence :* la licence poétique; **115.** Dans l'édition originale, Boileau avait écrit : « En peut-on supporter deux ou trois... ».

QUESTIONS

● Vers 73-81. Rapprochez la remarque du vers 77 du précepte formulé au vers 181 du premier chant. Comment les deux exigences sont-elles conciliables? — Quelle qualité essentielle Boileau réclame-t-il du poète lyrique?

100 N'a fait de chez Sercy[116], qu'un saut chez l'épicier.
Pour enfermer son sens dans la borne prescrite,
La mesure est toujours trop longue et trop petite.
L'épigramme*, plus libre en son tour* plus borné,
N'est souvent qu'un bon mot de deux rimes orné[117].
105 Jadis de nos auteurs les pointes* ignorées
Furent de l'Italie en nos vers attirées.
Le vulgaire*, ébloui de leur faux agrément,
A ce nouvel appât courut avidement.
La faveur du public excitant leur audace,
110 Leur nombre impétueux inonda le Parnasse.
Le madrigal* d'abord en fut enveloppé;
Le sonnet* orgueilleux lui-même en fut frappé :
La tragédie en fit ses plus chères délices[118];
L'élégie* en orna ses douloureux caprices[119];
115 Un héros sur la scène eut soin de s'en parer,
Et sans pointe* un amant n'osa plus soupirer :
On vit tous les bergers, dans leurs plaintes nouvelles,
Fidèles à la pointe* encor plus qu'à leurs belles;
Chaque mot eut toujours deux visages divers :
120 La prose la reçut aussi bien que les vers;
L'avocat au palais en hérissa son style,
Et le docteur[120] en chaire en sema l'Évangile :
La raison outragée enfin ouvrit les yeux,
La chassa pour jamais des discours* sérieux;

---

116. *Sercy :* libraire du Palais. Il édita, à partir de 1653, une série de recueils collectifs de poésies, puis d'œuvres en prose. Ces collections, véritables anthologies de la poésie galante et « coquette », avaient déjà été raillées par Patru, Gilles Boileau, Furetière et Cotin. Pour la plaisanterie sur l'épicier, voir la *Satire III* (vers 127-128) et l'*Épître première* (vers 38); **117.** Voici une épigramme de Boileau « sur la première représentation de l'*Agésilas* de M. de Corneille, que j'avais vue » (1666) : « J'ai vu l'Agésilas, Hélas. »; **118.** « La *Sylvie* de Mairet » (note de Boileau, 1713), cette pièce, publiée en 1621, est une tragi-comédie pastorale; **119.** *Caprice :* saillie d'imagination; **120.** *Docteur :* docteur en théologie. Selon Brossette, le mot désignerait le « petit père André, Augustin ». En fait, la remarque peut viser également de nombreux prédicateurs du XVIIe siècle qui, avant les réformes de saint Vincent de Paul et de Bossuet, s'étaient signalés par les recherches excessives de leur style.

QUESTIONS

● VERS 82-102. De quel point de vue le sonnet est-il défini? Montrez ce qui fait l'intérêt de la définition rimée par Boileau. Celle-ci est-elle cependant complète? Expliquez le vers 94. Êtes-vous de l'avis de Boileau? — Que révèle la correction du vers 98? A quels grands poètes du XVIe siècle Boileau eût-il pu opposer Gombauld et Malleville? La proportion de réussites eût-elle alors été aussi faible?

125 Et, dans tous ces écrits la déclarant infâme,
Par grâce lui laissa l'entrée en l'épigramme*,
Pourvu que sa finesse, éclatant à propos,
Roulât sur la pensée, et non pas sur les mots.
Ainsi de toutes parts les désordres cessèrent.
130 Toutefois à la cour les Turlupins[121] restèrent,
Insipides plaisants*, bouffons infortunés,
D'un jeu de mots grossier partisans surannés.
Ce n'est pas quelquefois qu'une muse un peu fine
Sur un mot, en passant, ne joue et ne badine,
135 Et d'un sens détourné n'abuse avec succès;
Mais fuyez sur ce point un ridicule excès,
Et n'allez pas toujours d'une pointe* frivole
Aiguiser par la queue une épigramme* folle.
Tout poème est brillant de sa propre beauté.
140 Le rondeau*, né gaulois, a la naïveté*.
La ballade*, asservie à ses vieilles maximes[122],
Souvent doit tout son lustre au caprice des rimes.
Le madrigal*, plus simple et plus noble en son tour,
Respire la douceur, la tendresse et l'amour.
145 L'ardeur de se montrer, et non pas de médire,
Arma la Vérité du vers de la satire.
Lucile[123] le premier osa la faire voir,
Aux vices des Romains présenta le miroir,
Vengea l'humble vertu, de la richesse altière,
150 Et l'honnête homme à pied, du faquin[124] en litière.
Horace à cette aigreur mêla son enjouement;
On ne fut plus ni fat* ni sot impunément;

---

121. *Turlupin :* Henri le Grand, mort en 1634, qui se faisait appeler Belleville à l'hôtel de Bourgogne et Turlupin dans la farce, sur les tréteaux de la foire, d'après le nom d'une secte d'hérétiques du XIVe siècle; **122.** *Maxime :* le mot désignait aussi les règles d'un genre littéraire; **123.** *Lucile :* voir la *Satire IX* et le *Discours sur la Satire.* Caïus Lucilius (149-103 avant J.-C.) fut le premier satirique latin, d'après Horace (*Satire II,* I, vers 62). Il ne nous reste qu'une partie de son œuvre; **124.** *Faquin :* « terme de mépris et d'injure qui se dit d'un homme de néant, d'un homme qui fait des actions indignes d'un honnête homme » (*Acad.,* 1694). Le mot désigne un de ces riches Romains qui voyageaient en litière.

QUESTIONS

● VERS 103-138. Montrez que la critique de Boileau vise l'équivoque, ou calembour, plus encore que l'excès d'ingéniosité dans l'expression. — Quelles furent, selon lui, l'origine et l'importance du succès des pointes? — Rapprochez le vers 130 du passage de *l'Art poétique* sur le burlesque (ch. premier, vers 91 et suiv.). — Au nom de quoi les pointes sont-elles condamnées?

Et malheur à tout nom, qui, propre à la censure*,
Put entrer dans un vers sans rompre la mesure!
155 Perse[125], en ses vers obscurs, mais serrés et pressants,
Affecta[126] d'enfermer moins de mots que de sens.
Juvénal[127], élevé dans les cris de l'école,
Poussa jusqu'à l'excès sa mordante hyperbole.
Ses ouvrages, tout pleins d'affreuses vérités,
160 Étincellent pourtant de sublimes* beautés;
Soit que, sur un écrit arrivé de Caprée[128],
Il brise de Séjan la statue adorée[129];
Soit qu'il fasse au conseil courir les sénateurs,
D'un tyran soupçonneux pâles adulateurs[130];
165 Ou que, poussant à bout la luxure latine,
Aux portefaix de Rome il vende Messaline[131],
Ses écrits pleins de feu partout brillent aux yeux.
De ces maîtres savants disciple ingénieux,
Régnier seul parmi nous formé sur leurs modèles,
170 Dans son vieux style encore a des grâces nouvelles.
Heureux, si ses discours*, craints du chaste lecteur,
Ne se sentaient des lieux où fréquentait l'auteur,
Et si, du son hardi de ses rimes cyniques,
Il n'alarmait souvent les oreilles pudiques!
175 Le latin, dans les mots, brave l'honnêteté :
Mais le lecteur français veut être respecté;
Du moindre sens impur la liberté l'outrage,

---

125. *Perse :* satirique latin (34-62). Son extrême concision le rend souvent obscur; **126.** *Affecter de :* chercher à, aimer à; **127.** *Juvénal* (42-120) : il a fustigé les vices de la Rome de Tibère dans ses *Satires;* **128.** *Caprée :* voir la *Satire X* de Juvénal, vers 71-72 : « Une lettre longue et détaillée est venue de Caprée. » C'est de Capri, au large de Naples, que Tibère ordonna la mort de son ministre Séjan, compromis dans une conspiration; **129.** « On brûle une tête jusque-là adorée par le peuple et le grand Séjan craque sous les flammes » (Juvénal, *Satire X*, vers 62-63); **130.** Nouveau souvenir de Juvénal (*Satire IV*, vers 72-75); **131.** *Satire IV*, vers 115-132, de Juvénal. Messaline était la femme de l'empereur Claude.

QUESTIONS

● VERS 139-180. En quoi Boileau se distingue-t-il des poètes de la Pléiade pour ce qui concerne le choix de certains petits genres? Indiquez la portée de son attitude? — Quelles sont les qualités attribuées par Boileau aux quatre satiriques latins évoqués par lui? Quel fut, selon lui, leur rôle? — Par quoi les hardiesses du moraliste et de l'écrivain doivent-elles être tempérées? — Par quoi Boileau est-il surtout choqué dans les satires de Régnier? Quel principe veut-il faire respecter? — Montrez que le passage sur la satire est une nouvelle occasion pour Boileau de se défendre contre ses ennemis (rapprochez-le de la *Satire VII*, vers 73 et suivants, de la *Satire IX*, vers 203, et du *Discours sur la satire*).

Phot. Giraudon.

« Paysage aux deux nymphes. »

Peinture de Nicolas Poussin.

Chantilly, musée Condé.

Si la pudeur des mots n'en adoucit l'image.
Je veux dans la satire un esprit de candeur,
180 Et fuis un effronté qui prêche la pudeur.
D'un trait de ce poème en bons mots si fertile,
Le Français, né malin, forma le vaudeville*,
Agréable indiscret, qui, conduit par le chant,
Passe de bouche en bouche et s'accroît en marchant.
185 La liberté française en ses vers se déploie.
Cet enfant de plaisir veut naître dans la joie.
Toutefois n'allez pas, goguenard[132] dangereux,
Faire Dieu le sujet d'un badinage affreux.
A la fin tous ces jeux que l'athéisme élève,
190 Conduisent tristement le plaisant* à la Grève[133].
Il faut, même en chansons, du bon sens et de l'art.
Mais pourtant on a vu le vin et le hasard
Inspirer quelquefois une muse grossière,
Et fournir, sans génie*, un couplet à Linière.
195 Mais pour un vain* bonheur[134] qui vous a fait rimer,
Gardez[135] qu'un sot orgueil ne vous vienne enfumer[136].
Souvent l'auteur altier de quelque chansonnette
Au même instant prend droit de se croire poète :
Il ne dormira plus qu'il n'ait fait un sonnet*;
200 Il met tous les matins six impromptus[137] au net.
Encore est-ce un miracle, en ses vagues furies*,
Si bientôt, imprimant ses sottes rêveries,
Il ne se fait graver au-devant[138] du recueil,
Couronné de lauriers par la main de Nanteuil[139].

---

132. *Goguenard :* celui qui fait de sottes plaisanteries (familier); **133.** D'après Brossette, Boileau fait allusion à un « jeune homme fort bien fait nommé Petit ». Claude Petit était un jeune avocat parisien, auteur de la *Chronique scandaleuse ou Paris ridicule*. C'est ce livre qui lui valut d'être condamné et de mourir sur le bûcher en place de Grève, à vingt-cinq ans, le 1er septembre 1662, après avoir eu le poing coupé. Rendant compte de cette exécution au chancelier Séguier, le lieutenant civil écrivait : « Cette punition contiendra la licence effrénée des impies et la témérité des imprimeurs »; **134.** *Bonheur :* charme, succès; **135.** *Garder que :* prendre garde; **136.** *Enfumer :* il s'agit des fumées de l'orgueil; **137.** *Impromptu :* improvisation; **138.** *Au-devant :* en tête; **139.** *Nanteuil* (1623-1678) était un peintre et graveur très habile et de grand renom. Voir le portrait de Chapelain gravé par Nanteuil.

QUESTIONS

● VERS 181-204. Boileau et les mœurs du temps : Quelle est son attitude? Appréciez son allusion à Linière : perfidie ou avertissement d'ancien ami?

Sur l'ensemble du chant II, v. p. 61.

CHANT III

Il n'est point de serpent ni de monstre odieux,
Qui, par l'art imité, ne puisse plaire aux yeux :
D'un pinceau délicat l'artifice[140] agréable
Du plus affreux objet fait un objet aimable.
5 Ainsi, pour nous charmer, la Tragédie en pleurs
D'Œdipe tout sanglant fit parler les douleurs,
D'Oreste parricide exprima les alarmes,
Et, pour nous divertir, nous arracha des larmes.
Vous donc, qui d'un beau feu pour le théâtre épris,
10 Venez en vers pompeux* y disputer le prix,
Voulez-vous sur la scène étaler[141] des ouvrages
Où tout Paris en foule apporte ses suffrages,

---

140. *Artifice :* adresse, art (sans nuance péjorative); **141.** *Étaler :* exposer (sans nuance péjorative).

QUESTIONS

■ SUR L'ENSEMBLE DU CHANT II. — La composition de ce chant vous paraît-elle parfaitement équilibrée? Déterminez la place relative accordée par Boileau à chacun des genres.

— Montrez les différents points de vue auxquels il se place dans la présentation de ces genres.

— Faites ressortir que certains genres doivent plus à la culture et à la tradition — vous préciserez laquelle — qu'à la pure observation et à l'inspiration personnelle. Les préceptes en faveur de la sincérité vous semblent-ils toujours de nature à faire éviter les dangers d'autres préceptes qui mènent en fin de compte à l'artifice?

— Dégagez la conception que se fait Boileau du genre satirique d'après *l'Art poétique* et ses propres *satires*. En vous référant à l'ensemble de celles-ci, déterminez ce qu'il doit à Juvénal d'une part, et à Horace d'autre part.

● VERS 1-8. Relevez les expressions qui montrent que l'imitation de la nature telle qu'elle est conçue ne conduit pas au réalisme absolu. — En quoi la remarque de Boileau se distingue-t-elle de celle d'Aristote au sujet de l'imitation? Rapprochez ces vers de sa déclaration à Brossette en 1702 : « Il faut que cette imitation ne soit pas en tout semblable à la nature même; trop de ressemblance ferait avoir autant d'horreur pour la chose faite par imitation que pour la chose même qu'on aurait imitée. » Comparez ces réflexions à celles de Poussin et à celles de Fénelon (*Lettre à l'Académie*, chap. v). — Les sujets de tragédies grecques évoquées aux vers 6 et 7 correspondent-ils au goût du public de 1670? Reportez-vous sur ce point à l'*Œdipe* de Corneille et à la Préface de cette œuvre. Dans quelle intention Boileau les a-t-il mentionnés? — Quels sont les sentiments divers qui agitent l'âme du spectateur à la représentation d'une tragédie? Montrez qu'ils peuvent être contradictoires.

Et qui, toujours plus beaux, plus ils sont regardés,
Soient au bout de vingt ans encor redemandés[142]?
15 Que dans tous vos discours* la passion émue
Aille chercher le cœur, l'échauffe et le remue.
Si d'un beau mouvement l'agréable fureur*
Souvent ne nous remplit d'une douce « terreur »,
Ou n'excite en notre âme une « pitié » charmante[143],
20 En vain vous étalez une scène savante[144] :
Vos froids* raisonnements ne feront qu'attiédir
Un spectateur toujours paresseux d'applaudir,
Et qui, des vains* efforts de votre rhétorique
Justement fatigué, s'endort ou vous critique.
25 Le secret est d'abord de plaire et de toucher :
Inventez dcs ressorts qui puissent m'attacher.
Que dès les premiers vers l'action préparée
Sans peine du sujet aplanisse l'entrée.
Je me ris d'un acteur qui, lent à s'exprimer,
30 De ce qu'il veut, d'abord* ne sait pas m'informer[145],
Et qui, débrouillant mal une pénible intrigue,
D'un divertissement me fait une fatigue.
J'aimerais mieux encor qu'il déclinât son nom,

---

142. « Cette œuvre a plu une seule fois, telles autres, dix fois redemandées, plairont toujours » (Horace, *Art poétique*, vers 365); **143.** La terreur et la pitié sont les deux ressorts tragiques fondamentaux, selon Aristote; **144.** *Savante :* conçue selon les règles; **145.** Brossette voit là une allusion à *Cinna.* Voltaire, quant à lui, confiait à Thiériot (*Lettre* du 8 mars 1738) : « Je sais bien que Despréaux avait en vue *Héraclius* dans ces vers. »

QUESTIONS

● VERS 9-26. Quels sont les termes qui mettent en valeur l'opposition entre émotion et rhétorique et soulignent la nécessité de la première? — Que révèle l'emploi des adjectifs aux vers 17, 18 et 19 sur le goût de l'époque? — Quel ressort tragique Corneille avait-il ajouté à la terreur et à la pitié? (Voir l'*Examen de Nicomède.*) Pourquoi n'est-il pas mentionné ici? Reportez-vous à la *VIIe Réflexion sur Longin.* En quoi pouvait-il s'opposer au goût nouveau du public de 1670? — Vers 25 : relevez des déclarations semblables chez Molière (*la Critique de « l'École des femmes »*, scène VI), Racine (Préface de *Bérénice*), La Fontaine (Préfaces des *Fables*, 1668, et de *Psyché*).

● VERS 27-37. Comparez, du point de vue de l'exposition d'une tragédie, la technique de Corneille à celle de Racine. Laquelle vous semble la plus conforme aux préceptes de Boileau? Que conclure de la position de ce dernier? En quoi ce passage est-il une nouvelle illustration du principe énoncé aux vers 141 à 146 du chant premier? — Montrez, en vous reportant à la *Satire IX* et surtout à l'*Épître VII* (1677), qu'en dépit de ses théories Boileau a su rendre hommage au génie de Corneille.

Phot. Alinari-Giraudon.

Portrait du Tasse, par Alessandro Allori.

Florence, musée des Offices.

Et dît : Je suis Oreste ou bien Agamemnon[146],
35 Que d'aller, par un tas de confuses merveilles[147]
Sans rien dire à l'esprit, étourdir les oreilles :
Le sujet n'est jamais assez tôt expliqué[148].
Que le lieu de la scène y soit fixe et marqué.
Un rimeur, sans péril, delà les Pyrénées[149],
40 Sur la scène en un jour renferme des années.
Là souvent le héros d'un spectacle grossier,
Enfant au premier acte, est barbon[150] au dernier.
Mais nous, que la raison à ses règles engage,
Nous voulons qu'avec art l'action se ménage[151];
45 Qu'en un lieu, qu'en un jour, un seul fait accompli
Tienne jusqu'à la fin le théâtre rempli.
Jamais au spectateur n'offrez rien d'incroyable[152] :
Le vrai peut quelquefois n'être pas vraisemblable.
Une merveille[153] absurde est pour moi sans appas[154] :
50 L'esprit n'est point ému de ce qu'il ne croit pas.

---

146. « Il y a de pareils exemples dans Euripide » (note de Brossette). Voir le début de l'*Iphigénie* (1674) de Racine : « Oui, c'est Agamemnon, c'est ton roi qui t'éveille »; **147.** *Merveille :* chose extraordinaire, miracle; **148.** Boileau reprend dans ce développement les idées que l'abbé d'Aubignac avait exprimées dans sa *Pratique du théâtre* et, avec plus d'acrimonie à l'égard de Corneille, dans ses *Dissertations* (1663) contre *Sertorius* et *Œdipe;* **149.** Allusion, selon Brossette, à Lope de Vega (voir l'Index) qui, dans *Valentin et Orson*, présente deux héros qui « naissent au premier acte et sont fort âgés au dernier »; **150.** *Barbon :* vieillard; **151.** *Se ménager :* se conduire; **152.** « Que les inventions destinées à plaire soient aussi près que possible du vrai » (Horace, *Art poétique*, vers 338); **153.** *Merveille :* voir vers 35 du chant III et la note; **154.** *Appas :* attrait, charme.

QUESTIONS

● VERS 38-46. Partagez-vous le mépris de Boileau pour des *rimeurs* tels que Calderon, Lope de Vega ou Tirso de Molina? Comparez certaines de leurs œuvres à celles de notre théâtre classique. Pourquoi Boileau écrit-il *sans péril* au vers 39? — D'après ce passage, les règles sont-elles fondées sur l'autorité de la raison ou sur celle d'Aristote? Quels avantages et quels inconvénients présente, selon vous, l'observation de la règle des unités? Les prescriptions de Boileau ont-elles été toujours et partout respectées? Les spectacles en furent-ils (ou en sont-ils) nécessairement plus *grossiers?*

● VERS 47-50. D'après ces vers et la Documentation thématique, quel est le critère du vraisemblable? Quelles sont les conséquences de cette conception si les héros des tragédies sont des personnages historiques du passé? (Voir la seconde Préface d'*Andromaque* et la Préface de *Mithridate*.) Pourquoi l'esprit doit-il croire à ce qui lui est proposé? Boileau met-il autant que Chapelain en 1636 l'accent sur l'utilité de la poésie dramatique? (Suite, v. p. 65.)

Ce qu'on ne doit point voir, qu'un récit nous l'expose :
Les yeux en le voyant saisiront mieux la chose;
Mais il est des objets que l'art judicieux
Doit offrir à l'oreille et reculer des yeux[155].
55 Que le trouble[156], toujours croissant de scène en scène,
A son comble arrivé se débrouille sans peine.
L'esprit ne se sent point plus vivement frappé,
Que lorsqu'en un sujet d'intrigue[157] enveloppé,
D'un secret tout à coup la vérité connue
60 Change tout, donne à tout une face imprévue.
La tragédie, informe et grossière en naissant[158],

---

155. « Sans doute notre esprit est moins vivement frappé de ce qui passe par l'oreille que de ce qui s'offre aux yeux, témoins fidèles, et de ce que le spectateur s'atteste à lui-même. Cependant, ce qui ne peut avoir de témoins, vous n'irez pas l'amener sur la scène et vous reculerez des yeux bien des objets que le discours offrira plus convenablement à l'esprit. Ce n'est pas devant le public que Médée doit tuer ses enfants. De pareils spectacles me révolteraient, je n'y pourrais croire » (Horace, *Art poétique*, vers 180 et suivants); **156.** *Trouble :* la complication de l'intrigue; **157.** *Intrigue :* embarras, complication; **158.** « Ce qui est dit ici de la naissance et du progrès de la tragédie est tiré d'Aristote et d'Horace dans leurs *Poétiques* et de Diogène Laërce dans la *Vie de Solon* » (note de Brossette).

QUESTIONS

(Suite.) — Comparez les vers de Boileau aux Préfaces de Racine et à cette déclaration de Corneille : « Les grands sujets qui remuent fortement les passions et en opposent l'impétuosité aux lois du devoir et aux tendresses du sang, doivent toujours aller au-delà du vraisemblable, et ne trouveraient aucune croyance s'ils n'étaient soutenus ou par l'autorité de l'histoire, qui persuade avec empire; ou par la préoccupation de l'opinion commune, qui nous donne ces mêmes auditeurs déjà tous persuadés. » (*Premier Discours*, 1660.) Par quoi Corneille justifie-t-il le choix de ses sujets? Vous paraît-il dans la pratique en aussi constant désaccord avec les idées de son temps, exprimées par Racine ou Boileau? — Êtes-vous plus « ému » au théâtre par une situation « hors de l'ordre commun » que par ce qui vous paraît vraisemblable?

● VERS 51-60. Quels sont les *objets* évoqués au vers 53? A quel point de vue se plaçait surtout Horace pour écarter de la scène les spectacles horribles? Montrez que Boileau a surtout en vue, ici, le respect des bienséances externes. Montrez par des exemples que ce goût peut varier suivant les milieux ou les époques. — Quels sont les mots qui soulignent le caractère impératif de cette règle des bienséances? A quels récits de Corneille ou de Racine songez-vous? Dites ce que, d'après vous, les récits ont fait gagner — ou perdre — à la tragédie classique. — Vers 55-60. Relevez les mots qui semblent indiquer que Boileau pense surtout à une tragédie d'intrigue. Quelles sont les œuvres du XVIIe siècle qui répondaient le mieux à ces exigences? — Montrez comment la versification du passage met en valeur les notions d'intrigue et de surprise.

N'était qu'un simple chœur[159] où chacun en dansant,
Et du dieu des raisins entonnant les louanges,
S'efforçait d'attirer de fertiles vendanges.
65 Là, le vin et la joie éveillant les esprits,
Du plus habile chantre un bouc était le prix[160].
Thespis[161] fut le premier qui, barbouillé de lie,
Promena par les bourgs cette heureuse folie;
Et, d'acteurs mal ornés chargeant un tombereau,
70 Amusa les passants d'un spectacle nouveau.
Eschyle dans le chœur jeta les personnages,
D'un masque plus honnête[162] habilla les visages,
Sur les ais[163] d'un théâtre en public exhaussé,
Fit paraître l'acteur d'un brodequin chaussé[164].
75 Sophocle enfin, donnant l'essor à son génie*,
Accrut encor la pompe*, augmenta l'harmonie,
Intéressa le chœur dans toute l'action,
Des vers trop raboteux polit l'expression,
Lui donna chez les Grecs cette hauteur divine
80 Où jamais n'atteignit la faiblesse latine.
Chez nos dévots aïeux le théâtre abhorré
Fut longtemps dans la France un plaisir ignoré.
De pèlerins, dit-on, une troupe grossière
En public à Paris y monta la première;
85 Et, sottement zélée en sa simplicité,
Joua* les Saints, la Vierge et Dieu, par piété.
Le savoir, à la fin dissipant l'ignorance,
Fit voir de ce projet la dévote imprudence.

---

159. *Chœur :* le chœur dithyrambique en l'honneur de Bacchus, le *dieu des raisins* du vers suivant; **160.** Des satyres appelés « boucs » composaient les chœurs. C'est là la véritable origine du mot *tragédie*. Le bouc n'était pas le prix de la compétition dramatique. L'allusion à cet animal présenté comme une récompense provient d'une fausse étymologie dont Horace est le responsable; **161.** *Thespis :* auteur dramatique grec du VIe siècle avant notre ère. C'est lui qui inventa la tragédie en faisant dialoguer un acteur avec le chœur. Les mots *char* et *lie* renvoient, en fait, aux origines de la comédie; **162.** *Honnête :* bienséant, décent; **163.** *Ais :* longue pièce de bois, poutre, planche; **164.** « Après lui Eschyle inventa le masque et la robe traînante, exhaussa le théâtre sur de modestes tréteaux, apprit à ses personnages à parler avec pompe et les chaussa du cothurne » (Horace, *Art poétique*, vers 279 et suivants). *Brodequin :* en réalité, le brodequin est la chaussure de la comédie.

QUESTIONS

● VERS 61-80. De quel point de vue Boileau examine-t-il l'œuvre d'Eschyle? Pourquoi? — Pour quelles raisons Sophocle lui semble-t-il préféré? Comment vous expliquez-vous qu'Euripide, pourtant le modèle préféré de Racine, ne soit pas cité?

On chassa ces docteurs prêchants sans mission :
90 On vit renaître Hector, Andromaque, Ilion[165].
Seulement, les acteurs laissant le masque antique,
Le violon tint lieu de chœur et de musique[166].
Bientôt l'amour, fertile en tendres sentiments,
S'empara du théâtre, ainsi que des romans*.
95 De cette passion la sensible peinture
Est pour aller au cœur la route la plus sûre.
Peignez donc, j'y consens, les héros amoureux;
Mais ne m'en formez pas des bergers doucereux :
Qu'Achille aime autrement que Thyrsis et Philène[167];
100 N'allez pas d'un Cyrus nous faire un Artamène[168];

---

165. « Ce ne fut que sous Louis XIII que la tragédie commença à prendre une bonne forme en France » (note de Boileau, édition de 1713); **166.** « *Esther* et *Athalie* ont montré combien l'on a perdu en supprimant les chœurs et la musique » (note de Boileau); **167.** *Thyrsis :* de nombreux personnages de pastorales portent ce nom. *Philène :* berger dans la *Sylvie* de Mairet (1627). Tirsis et Philène figurent dans le prologue de *George Dandin*, de Molière, joué à Versailles le 18 juillet 1668; **168.** *Artamène :* surnom galant adopté par le roi des Perses dans *Artamène ou le Grand Cyrus*, roman de Mlle de Scudéry (voir aussi le *Dialogue des héros de roman*).

QUESTIONS

● VERS 81-92. Il sera facile, à l'aide d'un manuel, de corriger les erreurs de Boileau dans ce développement. Vers 81-82 : De quand datent les premiers jeux? Quelle est la véritable origine du théâtre médiéval? — Vers 83 : Qu'est-ce que cette troupe? Méritait-elle son qualificatif? — Vers 86 : Montrez l'intention polémique de l'équivoque *joua*, opposé à *piété*. — Vers 89 : Quelles sont les vraies causes de la disparition des mystères? Précisez la date de leur disparition. — Vers 90. Montrez, en citant des auteurs et leurs œuvres, que les sujets chrétiens ont été traités autant que les sujets antiques dès le XVIe siècle. — Quel est le point commun entre ce passage et le développement sur l'épopée un peu plus loin (voir les vers 193 et suivants)? Connaissez-vous de grandes tragédies chrétiennes au XVIIe siècle? Vous semble-t-il que *Dieu* y ait été « joué »?

● VERS 93-102. A quels romans Boileau fait-il allusion au vers 94? — Que révèle l'incidente du vers 97? Comparez la position de Boileau à celle de Corneille : « La dignité de la tragédie demande quelque grand intérêt d'État, ou quelque passion plus noble et plus mâle que l'amour, telles que sont l'ambition et la vengeance, et veut donner à craindre des malheurs plus grands que la perte d'une maîtresse. Il est à propos d'y mêler l'amour parce qu'il a toujours beaucoup d'agrément et peut servir de fondement à ces intérêts, à ces autres passions dont je parle; mais il faut qu'il se contente du deuxième rang dans le poème et leur laisse le premier. » (*Premier Discours*, 1660.) Quelles sont les deux conditions mises par Boileau à son consentement? — Montrez, en analysant certaines pièces de Racine, que l'amour peut être un ressort tragique puissant, dans le respect des réserves formulées par Boileau.

Et que l'amour, souvent de remords combattu,
Paraisse une faiblesse et non une vertu.
Des héros de roman fuyez les petitesses :
Toutefois aux grands cœurs donnez quelques faiblesses[169],
105 Achille déplairait, moins bouillant et moins prompt[170],
J'aime à lui voir verser des pleurs pour un affront.
A ces petits défauts marqués dans sa peinture,
L'esprit avec plaisir reconnaît la nature.
Qu'il soit sur ce modèle en vos écrits tracés :
110 Qu'Agamemnon soit fier, superbe[171], intéressé;
Que pour ses dieux Énée ait un respect austère;
Conservez à chacun son propre caractère.
Des siècles, des pays, étudiez les mœurs.
Les climats[172] font souvent les diverses humeurs*.
115 Gardez donc de donner, ainsi que dans Clélie[173],
L'air, ni l'esprit français à l'antique Italie;
Et, sous des noms romains faisant notre portrait,
Peindre Caton galant et Brutus dameret[174].
Dans un roman* frivole aisément tout s'excuse;
120 C'est assez qu'en courant la fiction amuse;
Trop de rigueur alors serait hors de saison :

---

169. Aristote réclamait déjà un héros tragique « ni trop vertueux ni trop juste »; **170.** « Si tu me représentes Achille vengé, qu'il soit infatigable, irascible, ardent, inexorable » (Horace, *Art poétique*, vers 120-122); **171.** *Superbe :* orgueilleux; **172.** *Climat :* pays, contrée. « La principale chose à quoi je me suis attaché, ç'a été de ne rien changer ni aux mœurs ni aux coutumes de la nation » (Racine, Première Préface de *Bajazet* [1672]); **173.** *Clélie :* autre roman, en dix volumes également, de Madeleine de Scudéry; **174.** *Dameret :* jeune homme efféminé, d'une galanterie affectée.

QUESTIONS

● VERS 103-114. Pourquoi doit-on marquer de « petits défauts » dans la peinture des héros? Quels sentiments des héros ainsi conçus inspirent-ils au public? Montrez que le mot *nature* désigne surtout une certaine vérité psychologique. S'agissant d'Achille ou d'Énée, quel peut être le critère de cette vérité? Après avoir envisagé le cas d'un héros espagnol « en qui le poète désire une parfaite modestie », La Ménardière écrit : « Il ne faut plus considérer si la nation est insolente, puisque, malgré les habitudes qui règnent en chaque pays, il se trouve des Espagnols parfaitement honnêtes gens, courtois, civils... » Mais il ajoute : « Mais hors de cette contrainte, il faut de nécessité qu'il donne ces inclinations à qui elles sont dues et qu'il ne fasse jamais un guerrier d'un Asiatique, un fidèle d'un Africain, un impie d'un Persien, un véritable d'un Grec, etc. » Rapprochez ces considérations des vers 112 à 114 de ce passage. A quoi doit se conformer le portrait du héros? En quoi consiste l'étude des « mœurs »?

Mais la scène demande une exacte raison,
L'étroite bienséance y veut être gardée.
D'un nouveau personnage inventez-vous l'idée?
125 Qu'en tout avec soi-même il se montre d'accord,
Et qu'il soit jusqu'au bout tel qu'on l'a vu d'abord[175].
Souvent, sans y penser, un écrivain qui s'aime,
Forme tous ses héros semblables à soi-même :
Tout a l'humeur gasconne en un auteur gascon;
130 Calprenède et Juba[176] parlent du même ton.
La nature est en nous plus diverse et plus sage;
Chaque passion parle un différent langage :
La colère est superbe et veut des mots altiers[177];
L'abattement s'explique en des termes moins fiers[178].
135 Que devant Troie en flamme Hécube désolée
Ne vienne pas pousser une plainte ampoulée[179],
Ni sans raison décrire en quel affreux pays,
« Par sept bouches l'Euxin reçoit le Tanaïs[180]. »
Tous ces pompeux* amas d'expressions frivoles

---

175. « Osez-vous donner l'être à un personnage nouveau, qu'il demeure jusqu'au bout ce qu'il aura paru d'abord, toujours d'accord avec lui-même » (Horace, *Art poétique*, vers 125-127); **176.** *Juba :* héros de *Cléopâtre* (1646-1657), roman en 12 volumes de La Calprenède; **177.** « Des paroles tristes conviennent à un visage affligé; à un visage irrité, des paroles pleines de menaces [...]. La nature en effet nous prédispose intérieurement à l'expression qui convient à chaque situation » (Horace, *Art poétique*, vers 105 et suivants); **178.** *Altiers, fiers :* rimes normandes; **179.** « Qu'est-ce que les Anciens auraient dit d'une tragédie où Hécube aurait déploré ses malheurs par des pointes? » (Fénelon, *Lettre à l'Académie*); **180.** Voir *les Troyennes* de Sénèque le Tragique. Le Tanaïs (Don) se jette dans la mer d'Azov, golfe du Pont-Euxin (mer Noire).

QUESTIONS

● VERS 115-123. A quel public la tragédie telle qu'elle est définie s'adresse-t-elle? Quel genre de plaisir y goûte-t-on? Comment définir la *bienséance* (vers 123)? Montrez que ce respect de la bienséance est un autre aspect de la règle du vraisemblable. — Quelles sont les conséquences de cette conception lorsque les héros de tragédies sont des personnages historiques? (voir la seconde Préface d'*Andromaque* et la Préface de *Mithridate*). Quel paraît être le sentiment de Boileau à l'égard du roman? Comment l'expliquez-vous? Comparez ces vers au *Dialogue des héros de roman.*

● VERS 124-144. En quoi Boileau se conforme-t-il au respect des bienséances internes en ce qui concerne l'évolution psychologique du héros, l'« égalité » de son caractère? — Justifiez l'emploi du mot *sage* au vers 131. — Par quelles voies l'écrivain peut-il atteindre le naturel selon Boileau? Quel est le caractère des moyens d'expression de ce naturel? — Contre qui les traits satiriques sont-ils dirigés? A quel ressort de la tragédie Boileau pense-t-il surtout aux vers 141-142?

140 Sont d'un déclamateur amoureux des paroles.
Il faut dans la douleur que vous vous abaissiez[181].
Pour me tirer des pleurs, il faut que vous pleuriez[182].
Ces grands mots dont alors l'acteur emplit sa bouche
Ne partent point d'un cœur que sa misère[183] touche.
145 Le théâtre, fertile en censeurs*[184] pointilleux,
Chez nous pour se produire est un champ périlleux.
Un auteur n'y fait pas de faciles conquêtes;
Il trouve à le siffler des bouches toujours prêtes.
Chacun le peut traiter de fat* et d'ignorant;
150 C'est un droit qu'à la porte on achète en entrant[185].
Il faut qu'en cent façons, pour plaire, il se replie;
Que tantôt il s'élève, et tantôt s'humilie[186];
Qu'en nobles sentiments il soit partout fécond;
Qu'il soit aisé, solide, agréable, profond;
155 Que de traits surprenants sans cesse il nous réveille;
Qu'il coure dans ses vers de merveille en merveille;
Et que tout ce qu'il dit, facile à retenir,
De son ouvrage en nous laisse un long souvenir.
Ainsi la Tragédie agit, marche, et s'explique[187].
160 D'un air plus grand encor la poésie épique,
Dans le vaste récit d'une longue action,
Se soutient par la fable*, et vit de fiction[188].
Là pour nous enchanter tout est mis en usage;
Tout prend un corps, une âme, un esprit, un visage.
165 Chaque vertu devient une divinité :
Minerve est la prudence[189], et Vénus la beauté.
Ce n'est plus la vapeur qui produit le tonnerre,
C'est Jupiter armé pour effrayer la terre;
Un orage terrible aux yeux des matelots,
170 C'est Neptune en courroux qui gourmande les flots;

---

181. Voir Horace, *Art poétique*, vers 95; **182.** Voir Horace, *Art poétique*, vers 103; **183.** *Misère :* malheur; **184.** En 1671, on comptait une trentaine de critiques de théâtre professionnels; **185.** Voir la *Satire IX*, vers 177; **186.** *S'humilier :* s'abaisser; **187.** *S'expliquer :* se développer; **188.** *Fiction :* le merveilleux mythologique; **189.** *Prudence :* sagesse.

QUESTIONS

● VERS 145-159. A quel point de vue se place maintenant Boileau? En quoi ce passage et les vers 177 et suivants de la *Satire IX* témoignent-ils des droits de la critique et de certaines servitudes de l'écrivain? Connaissez-vous des exemples de critiques, parfois très *pointilleuses*, adressées de leur temps à nos grands classiques (voir la Documentation thématique du *Cid*)? — Sur quelle qualité d'une bonne pièce Boileau met-il surtout l'accent? Relevez les adjectifs particulièrement significatifs de son goût.

Écho n'est plus un son qui dans l'air retentisse,
C'est une nymphe en pleurs qui se plaint de Narcisse.
Ainsi, dans cet amas de nobles fictions,
Le poète s'égaye[190] en mille inventions,
75 Orne, élève, embellit, agrandit toutes choses,
Et trouve sous sa main des fleurs toujours écloses.
Qu'Énée et ses vaisseaux, par le vent écartés,
Soient aux bords africains d'un orage emportés[191];
Ce n'est qu'une aventure ordinaire et commune,
80 Qu'un coup peu surprenant des traits de la fortune.
Mais que Junon, constante en son aversion,
Poursuive sur les flots les restes d'Ilion;
Qu'Éole[192], en sa faveur, les chassant d'Italie,
Ouvre aux vents mutinés les prisons d'Éolie;
85 Que Neptune en courroux s'élevant sur la mer,
D'un mot calme les flots, mette la paix dans l'air,
Délivre les vaisseaux, des syrtes[193] les arrache;
C'est là ce qui surprend, frappe, saisit, attache.
Sans tous ces ornements le vers tombe en langueur,
90 La poésie est morte, ou rampe sans vigueur[194];
Le poète n'est plus qu'un orateur[195] timide,
Qu'un froid* historien d'une fable* insipide.

---

190. *S'égayer :* « On dit qu'un homme, un auteur s'égaye lorsqu'il dit quelque chose d'agréable qui n'est pas tout à fait de son sujet » (*Acad.*, 1694); **191.** Allusion au premier chant de *l'Énéide;* **192.** L'empire fabuleux d'Éole s'étendait sur des îles Ioniennes, au nord-est de la Sicile; **193.** *Syrtes :* golfes sablonneux d'Afrique (voir *l'Énéide*, chant premier, vers 146); **194.** « L'auteur avait en vue Saint-Sorlin des Marets, qui a écrit contre la fable » (note de Brossette, voir l'Index); **195.** *Orateur :* prosateur.

QUESTIONS

● VERS 160-176. Quelles peuvent être les proportions d'une épopée? Quelle est sa place dans la hiérarchie des genres? — Montrez que Boileau se rallie (comme les critiques de son époque) à la théorie de l'allégorie. Montrez que l'on croit l'allégorie capable de représenter des réalités morales comme des phénomènes physiques. Lesquels? (Voir aussi les vers 227 à 232.) Que désignent les *fleurs* du vers 176? Quel est leur rôle?

● VERS 177-192. A quels épisodes précis de *l'Énéide* Boileau fait-il allusion? — Partagez-vous l'opinion exprimée aux vers 179 et 188? Suffit-il d'évoquer la mythologie pour surprendre et attacher le lecteur? — Qu'est-ce qu'un ornement pour Boileau? La raison et le vraisemblable sont-ils conciliables avec cette doctrine des ornements et du merveilleux? — Les ornements sont-ils susceptibles d'ajouter à la beauté proprement poétique des vers? — Qu'ont de commun les vers 154, 164, 174 et 188? Un principe préside-t-il à l'ordre et au choix des termes? Appréciez ces accumulations? Que cherchent-elles à traduire?

C'est donc bien vainement que nos auteurs déçus[196]
Bannissant de leurs vers ces ornements reçus[197],
195 Pensent faire agir Dieu, ses saints et ses prophètes,
Comme ces dieux éclos du cerveau des poètes;
Mettent à chaque pas le lecteur en enfer;
N'offrent rien qu'Astaroth[198], Belzébuth, Lucifer.
De la foi d'un chrétien les mystères terribles
200 D'ornements égayés ne sont point susceptibles :
L'Évangile à l'esprit n'offre de tous côtés
Que pénitence à faire, et tourments mérités;
Et de vos fictions le mélange coupable
Même à ses vérités donne l'air de la fable*[199].
205 Et quel objet enfin à présenter aux yeux
Que le diable toujours hurlant contre les cieux[200],
Qui de votre héros veut rabaisser la gloire,
Et souvent avec Dieu balance[201] la victoire!
Le Tasse, dira-t-on, l'a fait avec succès.
210 Je ne veux point ici lui faire son procès :
Mais, quoi que notre siècle à sa gloire publie,
Il n'eût point de son livre illustré l'Italie,
Si son sage héros[202], toujours en oraison,
N'eût fait que mettre enfin Satan à la raison;
215 Et si Renaud, Argant, Tancrède et sa maîtresse[203]
N'eussent de son sujet égayé la tristesse[204].
Ce n'est pas que j'approuve, en un sujet chrétien,

---

196. *Décevoir :* tromper, induire en erreur; **197.** *Reçu :* admis par l'usage; **198.** *Astaroth :* divinité phénicienne; *Belzébuth :* idole des Philistins, prince des démons dans la Bible; *Lucifer :* chef des anges rebelles précipités aux enfers; **199.** « Je ne puis souffrir que l'on prenne dans les *Écritures saintes* le sujet d'un poème épique ou dramatique, car les fictions de l'ouvrier venant à se confondre avec les mystères qui nous ont été révélés de la part de Dieu donnent au mensonge l'apparence de la vérité ou bien à la vérité le caractère du mensonge » (abbé d'Aubignac, *Observations en tête de Macarise*, histoire allégorique, 1664); **200.** Voir ces vers de *Clovis* (livre premier, 1673) de Desmarets de Saint-Sorlin : « Le superbe démon [...]. Dans ses antres profonds hurlait d'un son horrible »; **201.** *Balancer :* tenir en suspens; **202.** *Héros :* Godefroy de Bouillon; **203.** *Renaud* et *Tancrède*, *Argant* et *Herminie :* héros de *la Jérusalem délivrée.* Renaud et Tancrède sont deux chevaliers chrétiens, Argant, un infidèle et Herminie, qui a sauvé Tancrède, une jeune musulmane; **204.** *Tristesse :* gravité, austérité.

QUESTIONS

● VERS 193-216. Énumérez les raisons pour lesquelles le poète ne doit pas montrer Satan ou Dieu et ses saints dans l'épopée. Relevez des expressions qui trahissent les tendances jansénistes de Boileau. — Le Tasse est-il condamné formellement? N'y a-t-il pas une contradiction avec ce qui précède? — A quoi se réduisent pour Boileau la mythologie et l'intervention des dieux dans le récit?

Un auteur[205] follement idolâtre et païen.
Mais, dans une profane[206] et riante peinture,
220 De n'oser de la fable* employer la figure,
De chasser les Tritons de l'empire des eaux[207],
D'ôter à Pan sa flûte, aux Parques leurs ciseaux,
D'empêcher que Caron, dans la fatale barque,
Ainsi que le berger ne passe le monarque :
225 C'est d'un scrupule vain* s'alarmer sottement,
Et vouloir aux lecteurs plaire sans agrément.
Bientôt ils défendront de peindre la Prudence,
De donner à Thémis ni bandeau ni balance,
De figurer aux yeux la Guerre au front d'airain;
230 Ou le Temps qui s'enfuit une horloge à la main;
Et partout des discours*, comme une idolâtrie,
Dans leur faux zèle, iront chasser l'allégorie.
Laissons-les s'applaudir de leur pieuse erreur;
Mais, pour nous, bannissons une vaine* terreur,
235 Et, fabuleux[208] chrétiens, n'allons point dans nos songes
Du Dieu de vérité faire un dieu de mensonges.
La fable* offre à l'esprit mille agréments divers :
Là tous les noms heureux semblent nés pour les vers,
Ulysse, Agamemnon, Oreste, Idoménée,
240 Hélène, Ménélas, Pâris, Hector, Énée.
Ô le plaisant* projet d'un poète ignorant,
Qui de tant de héros va choisir Childebrand[209]!

---

205. « Voir l'Arioste » (note de Boileau); **206.** *Profane :* qui ne touche en rien à la religion; **207.** Boileau avait parlé de « naïades craintives » dans son *Épitre IV* (vers 46), et Desmarets l'en avait critiqué; **208.** *Fabuleux :* qui raconte des légendes; **209.** *Childebrand ou les Sarrasins chassés de France* (1666), épopée de Carel de Sainte-Garde, raillé de nouveau en 1675, dans l'*Épitre IX*. En 1679, l'auteur remplaça le nom de son héros par celui de Charles Martel.

QUESTIONS

● VERS 217-236. Montrez que Boileau et son adversaire sont d'accord pour proscrire, dans l'épopée, le mélange des épisodes païens et d'un sujet chrétien, d'après cette remarque de Desmarets à propos des vers 217 et 218 : « Il demeure donc d'accord qu'il ne faut pas parler en païen en un sujet chrétien, et ainsi il justifie entièrement le poème de *Clovis.* » *(Défense du poème héroïque.)* La formule de Boileau vous paraît-elle bien rigoureuse? — Connaissez-vous, dans notre littérature ou dans les littératures étrangères, de grandes et belles épopées où Satan joue un rôle? — Rapprochez ces vers de la Préface d'*Esther* de Racine. — En quoi, selon Boileau, les allégories païennes choquent-elles moins la raison que les « ornements » mêlés à l'évocation de la religion chrétienne? — Quelles sont les trois sources du merveilleux évoquées par Boileau dans l'ensemble des vers 193 à 236?

D'un seul nom quelquefois le son dur ou bizarre
Rend un poème entier, ou burlesque* ou barbare.
245 Voulez-vous longtemps plaire, et jamais ne lasser?
Faites choix d'un héros propre à m'intéresser,
En valeur éclatant, en vertus magnifique :
Qu'en lui, jusqu'aux défauts, tout se montre héroïque;
Que ses faits[210] surprenants soient dignes d'être ouïs;
250 Qu'il soit tel que César, Alexandre, ou Louis[211],
Non tel que Polynice et son perfide frère[212].
On s'ennuie aux exploits d'un conquérant vulgaire.
N'offrez point un sujet d'incidents trop chargé.
Le seul courroux d'Achille, avec art ménagé,
255 Remplit abondamment une Iliade entière.
Souvent trop d'abondance appauvrit la matière.
Soyez vif et pressé dans vos narrations;
Soyez riche et pompeux* dans vos descriptions.
C'est là qu'il faut des vers étaler[213] l'élégance.
260 N'y présentez jamais de basse circonstance.
N'imitez pas ce fou, qui, décrivant les mers
Et peignant, au milieu de leurs flots entr'ouverts,
L'Hébreu sauvé du joug de ses injustes maîtres,
Met, pour les voir passer, les poissons aux fenêtres[214];
265 Peint le petit enfant qui « va, saute, revient,
« Et joyeux à sa mère offre un caillou qu'il tient. »
Sur de trop vains* objets c'est arrêter la vue.
Donnez à votre ouvrage une juste étendue.

---

210. *Fait :* action, exploit; **211.** Louis XIV; **212.** « Polynice et Étéocle, frères ennemis, auteurs de la guerre de Thèbes. Voir *la Thébaïde* de Stace » (note de Boileau), le même sujet a été traité par Racine dans *la Thébaïde* (1664); **213.** *Étaler :* exposer, montrer avec solennité; **214.** « Les poissons ébahis le regardent passer » (*Moïse sauvé*, note de Boileau). Voir la note du vers 26, chant premier, et la *VIe Réflexion sur Longin*.

QUESTIONS

● VERS 237-256. L'argument des vers 238 et suivants vous paraît-il bien probant? Relevez dans *l'Art poétique* et dans les satires et épîtres (la *IVe Épître* surtout) des vers où Boileau exprime son goût pour les noms harmonieux. — Rapprochez les vers 253-256 de l'Avis au lecteur, en tête de l'édition de 1694 du *Lutrin :* « Un poème héroïque, pour être excellent, [doit] être chargé de peu de matière, et [c'est] à l'invention à le soutenir et à l'étendre. » Montrez que ce précepte est l'écho de ce que disait Racine à propos de la tragédie (Préfaces d'*Alexandre*, 1666; de *Britannicus*, 1669; et de *Bérénice*, 1670). — En quoi le héros épique se distingue-t-il de celui de la tragédie? (Voir les vers 103 et suivants du chant III.) Pourquoi?

Que le début soit simple et n'ait rien d'affecté[215].
270 N'allez pas dès l'abord, sur Pégase monté,
Crier à vos lecteurs, d'une voix de tonnerre :
« Je chante le vainqueur des vainqueurs de la terre[216]. »
Que produira l'auteur après tous ces grands cris?
La montagne en travail enfante une souris.
275 Oh! que j'aime bien mieux cet auteur plein d'adresse
Qui, sans faire d'abord de si haute promesse,
Me dit d'un ton aisé, doux, simple, harmonieux :
« Je chante les combats, et cet homme pieux
« Qui, des bords phrygiens conduit dans l'Ausonie,
280 « Le premier aborda les champs de Lavinie[217]! »
Sa muse en arrivant ne met pas tout en feu[218],
Et pour donner beaucoup, ne nous promet que peu.
Bientôt vous la verrez, prodiguant les miracles,
Du destin des Latins prononcer les oracles,
285 De Styx et d'Achéron peindre les noirs torrents,
Et déjà les Césars dans l'Élysée errants[219].
De figures sans nombre égayez votre ouvrage;
Que tout y fasse aux yeux une riante image :
On peut être à la fois et pompeux* et plaisant*;
290 Et je hais un sublime* ennuyeux et pesant.
J'aime mieux Arioste et ses fables* comiques,
Que ces auteurs toujours froids* et mélancoliques,
Qui dans leur sombre humeur se croiraient faire affront

---

215. Horace, *Art poétique*, vers 136-144; **216.** « *Alaric*, livre premier » (note de Boileau). *Alaric ou Rome sauvée* est un poème épique de Scudéry paru en 1654. Voir la *IIe Réflexion sur Longin :* « Ce vers est assez noble, et est peut-être le mieux tourné de tout son ouvrage : mais il est ridicule de crier et de promettre de si grandes choses dès le premier vers »; **217.** Début de *l'Énéide*. *Bords phrygiens :* la partie de l'Asie Mineure où se trouvait Troie; *Ausonie :* l'Italie; *Lavinie :* la première ville fondée par Énée dans le Latium; **218.** Horace, *Art poétique*, vers 136-144; **219.** Allusion au chant VI de *l'Énéide*.

QUESTIONS

● VERS 257-277. Montrez que la doctrine classique s'étend à tous les arts et s'oppose, dans tous les domaines, à certaines tendances baroques, en comparant le précepte du vers 260 avec les idées de Poussin qui, selon Bellori, professait que le peintre « doit éviter les détails excessifs de toutes ses forces afin de préserver la dignité de son histoire et il ne doit pas survoler légèrement les choses grandes et magnifiques pour se perdre dans des matières vulgaires et frivoles. » (D'après Anthony Blunt, *Nicolas Poussin.*) — Partagez-vous l'opinion de Perrault, qui remarquera, à propos du vers 264 : « Il fallait le condamner sur ce qu'il dit et non pas sur ce qu'on lui fait dire »? (*Parallèles des Anciens et des Modernes*, 1688.)

Si les Grâces jamais leur déridaient le front.
295 On dirait que pour plaire, instruit par la nature,
Homère ait à Vénus dérobé sa ceinture[220].
Son livre est d'agréments un fertile trésor :
Tout ce qu'il a touché se convertit en or.
Tout reçoit dans ses mains une nouvelle grâce;
300 Partout il divertit et jamais il ne lasse.
Une heureuse chaleur anime ses discours* :
Il ne s'égare point en de trop longs détours.
Sans garder dans ses vers un ordre méthodique,
Son sujet de soi-même et s'arrange et s'explique[221];
305 Tout, sans faire d'apprêts, s'y prépare aisément;
Chaque vers, chaque mot court à l'événement[222].
Aimez donc ses écrits, mais d'un amour sincère;
C'est avoir profité que de savoir s'y plaire[223].
Un poème excellent, où tout marche et se suit.
310 N'est pas de ces travaux qu'un caprice produit :
Il veut du temps, des soins; et ce pénible ouvrage

---

220. *L'Iliade*, ch. XIV, vers 215-217. Junon emprunte la ceinture de Vénus pour charmer Jupiter; **221.** *S'expliquer :* voir le vers 159 et la note; **222.** « Toujours il se hâte vers l'événement » (Horace, *Art poétique*, vers 148); **223.** « Que celui-là sache bien qu'il fait un profit qui se plaît à lire Cicéron » (Quintilien, *Institution oratoire*, livre X, chapitre premier).

QUESTIONS

● VERS 278-294. Pourquoi le début d'une épopée doit-il être simple? — A propos du vers 285, Boileau écrira à Brossette, le 7 janvier 1709 : « Vous croyez que « du Styx » et « de l'Achéron » seraient mieux. Permettez-moi de vous dire que vous avez en cela l'oreille un peu prosaïque et qu'un homme vraiment poète ne me fera jamais cette difficulté parce que « de Styx et d'Achéron » est beaucoup plus soutenu [...]. Mais ces agréments sont des mystères qu'Apollon n'enseigne qu'à ceux qui sont véritablement initiés dans son art [...]. » — Au nom de quoi Boileau tranche-t-il le problème grammatical? S'agit-il vraiment d'une question « d'oreille »? — Rapprochez ces remarques des préceptes donnés aux vers 183 à 192 du chant premier et 62 à 70 du chant IV. — Précisez le sens du mot *figures* au vers 287.

● VERS 295-312. Quel est le sens de l'expression *ordre méthodique* au vers 303? Quel doit être l'ordre de la narration dans le poème épique? — Quelles sont les qualités essentielles d'Homère selon Boileau? Par quels mots les exprime-t-il? Notez la place du verbe le plus important. — Montrez que Boileau juge Homère comme si ce dernier était un contemporain, sans lui appliquer de critique historique, et qu'il reste dans les généralités. Quel est le sens du mot *caprice* au vers 310? Montrez que Boileau partage les idées de son temps, selon lesquelles l'épopée est le fruit de longues études et d'un grand savoir.

Jamais d'un écolier ne fut l'apprentissage.
Mais souvent parmi nous un poète sans art[224],
Qu'un beau feu quelquefois échauffa par hasard,
315 Enflant d'un vain* orgueil son esprit chimérique,
Fièrement prend en main la trompette héroïque :
Sa muse déréglée[225], en ses vers vagabonds,
Ne s'élève jamais que par sauts et par bonds :
Et son feu, dépourvu de sens et de lecture,
320 S'éteint à chaque pas faute de nourriture.
Mais en vain le public, prompt à le mépriser,
De son mérite faux le veut désabuser;
Lui-même, applaudissant à son maigre génie*,
Se donne par ses mains l'encens qu'on lui dénie :
325 Virgile, au prix[226] de lui, n'a point d'invention;
Homère n'entend point la noble fiction.
Si contre cet arrêt le siècle se rebelle,
A la postérité d'abord* il en appelle[227].
Mais attendant qu'ici le bon sens de retour
330 Ramène triomphants ses ouvrages au jour,
Leur tas, au magasin[228], cachés à la lumière,
Combattent tristement les vers et la poussière.

---

224. *Poète sans art :* Desmarets de Saint-Sorlin; 225. *Déréglé :* qui commet des infractions aux règles; 226. *Au prix de :* en comparaison de lui. Dans son *Traité pour juger des poètes grecs, latins et français* (1673), Desmarets avait déclaré que Virgile « a peu d'invention », que « l'action de *l'Iliade* n'est point noble ni héroïque », et qu'Homère est « abondant en fictions... mal réglées »; 227.

Contre les jugements vulgaires
Sans goût, injustes, téméraires,
J'espère dans son équité
Et sa gloire en sera plus belle
S'il n'attend que j'en appelle
A la juste postérité (*Ode au roi*, de Desmarets);

228. *Magasin :* « On appelle aussi magasin l'arrière-boutique ou la chambre d'en haut. Les libraires ont aussi des magasins de livres dans des greniers » (*Dictionnaire* de Furetière).

QUESTIONS

● VERS 313-334. Le passage se rattache-t-il bien naturellement à l'ensemble du développement? Qu'est-ce qui inspire surtout Boileau? Relevez tous les traits satiriques lancés contre Desmarets. Une qualité ne lui est-elle pas, malgré tout, reconnue? — Rapprochez les vers 325 à 328 du portrait de Cydias (Fontenelle) dans les *Caractères* de La Bruyère (V, 75). Dégagez le rôle du travail et celui de l'inspiration dans la composition de l'épopée. — Montrez que Boileau a déjà défini l'attitude qu'il adoptera quelques années plus tard dans la querelle qui l'opposera aux partisans des Modernes.

Laissons-les donc entre eux s'escrimer en repos,
Et, sans nous égarer, suivons notre propos.
335 Des succès fortunés du spectacle tragique
Dans Athènes naquit la comédie antique[229].
Là le Grec, né moqueur, par mille jeux plaisants*,
Distilla le venin de ses traits médisants.
Aux accès insolents d'une bouffonne joie,
340 La sagesse, l'esprit, l'honneur, furent en proie.
On vit, par le public un poète avoué[230],
S'enrichir aux dépens du mérite joué;
Et Socrate par lui, dans « un chœur de Nuées[231] »,
D'un vil amas de peuple attirer les huées.
345 Enfin de la licence on arrêta le cours :
Le magistrat, des lois emprunta le secours,
Et, rendant par édit les poètes plus sages,
Défendit de marquer les noms et les visages[232].
Le théâtre perdit son antique fureur*;
350 La comédie apprit à rire sans aigreur,
Sans fiel et sans venin sut instruire et reprendre,
Et plut innocemment dans les vers de Ménandre.
Chacun, peint avec art dans ce nouveau miroir,
S'y vit avec plaisir, ou crut ne s'y point voir :
355 L'avare, des premiers, rit du tableau fidèle
D'un avare souvent tracé sur son modèle;
Et mille fois un fat*, finement exprimé[233],
Méconnut[234] le portrait sur lui-même formé.
Que la nature donc soit votre étude unique,

---

229. Nous distinguons la comédie ancienne, avec Aristophane (fin du Ve siècle), et la comédie nouvelle, avec Ménandre (342-290); voir Horace : « La comédie ancienne leur succéda » (aux poètes tragiques). Boileau reprend l'erreur d'Horace : d'une part la comédie n'est pas née de la tragédie, d'autre part — et Aristote l'avait déjà écrit — c'est en Sicile qu'elle est née; **230.** *Avoué :* approuvé, autorisé; **231.** *Les Nuées,* comédie d'Aristophane (note de Boileau), cette comédie fut représentée en 423 av. J.-C.; **232.** « Une loi fut portée et le chœur se tut honteusement, n'ayant plus le droit de nuire » (Horace, *Art poétique,* vers 282). Allusion au décret pris en 404 par les trente tyrans à Athènes; **233.** *Exprimer :* décrire, représenter; **234.** *Méconnaître :* ne pas reconnaître.

QUESTIONS

● VERS 335-358. Expliquez les vers 341-342; le terme *s'enrichir* est-il bien exact? Vers 352 : montrez, par un rapprochement avec la Préface des *Plaideurs* de Racine, que le goût de Boileau est celui de son temps. — Relevez les traits de comédie dans les vers 355 à 358. — A quel genre est-il réservé de railler des individus en « marquant des noms »? — Quelle a été, d'après Boileau, l'évolution de la nature et des buts de la comédie?

360 Auteurs qui prétendez aux honneurs du comique.
Quiconque voit bien l'homme, et d'un esprit profond,
De tant de cœurs cachés a pénétré le fond;
Qui sait bien ce que c'est qu'un prodigue, un avare,
Un honnête homme, un fat*, un jaloux, un bizarre[235],
365 Sur une scène heureuse il peut les étaler[236],
Et les faire à nos yeux vivre, agir et parler.
Présentez-en partout les images naïves*;
Que chacun y soit peint des couleurs les plus vives.
La nature, féconde en bizarres portraits,
370 Dans chaque âme est marquée à de différents traits;
Un geste la découvre, un rien la fait paraître :
Mais tout esprit n'a pas des yeux pour la connaître.
Le temps, qui change tout, change aussi nos humeurs*[237].
Chaque âge a ses plaisirs, son esprit et ses mœurs.
375 Un jeune homme, toujours bouillant dans ses caprices,
Est prompt à recevoir l'impression des vices;
Est vain* dans ses discours*, volage en ses désirs,
Rétif à la censure, et fou dans les plaisirs.
L'âge viril, plus mûr, inspire un air plus sage,
380 Se pousse auprès des grands, s'intrigue[238], se ménage[239],

---

235. *Bizarre :* « fantasque, bourru [...], importun, désagréable » (Richelet); 236. « Celui qui a approfondi ce que l'on doit à la patrie, à ses amis, les droits affectueux d'un père, d'un frère, d'un hôte, les devoirs d'un sénateur, d'un arbitre, d'un général envoyé en expédition, celui-là sait, sans se tromper, donner à chaque personnage le rôle qui lui convient » (Horace, *Art poétique*, vers 312 et suivants); 237. Le développement qui suit est tiré d'Horace (*Art poétique*, vers 156-178), qui s'était lui-même inspiré de la tirade des âges d'Aristote (*Rhétorique*, liv. II, 32); 238. *S'intriguer :* « On dit aussi qu'un homme s'intrigue partout pour dire [...] qu'il tâche à se donner de l'accès, de la familiarité, partout où il peut » (*Dictionnaire* de Richelet, 1680); 239. *Se ménager :* se conduire avec esprit.

QUESTIONS

● VERS 359-390. Rapprochez ces vers de cet extrait de l'Avertissement du *Roman bourgeois* (1665), de Furetière : « Il faut [...] que la lecture des histoires et des caractères des personnes soit tellement appliquée à nos mœurs que nous croyions y reconnaître les gens que nous voyons tous les jours. » — Montrez que la nature telle qu'elle est conçue par Boileau est un autre aspect de la vraisemblance. — Pourquoi Boileau insiste-t-il tellement sur cette notion de nature à propos de la comédie? (Voir *la Critique de « l'École des femmes »*, scène VII, de Molière.) — Sur quoi la connaissance de la nature est-elle fondée? Quel est le rôle de l'artiste? Montrez que la littérature classique recherche toujours le type sous l'individu et vise à l'universel. — Quel *âge* Boileau a-t-il négligé, qu'Horace, pourtant, n'avait pas manqué d'évoquer, pas plus que Régnier dans sa *Satire V* (191-221)? Connaissez-vous beaucoup de portraits d'enfants dans la littérature classique?

Contre les coups du sort songe à se maintenir,
Et loin dans le présent regarde l'avenir.
La vieillesse chagrine[240] incessamment amasse;
Garde, non pas pour soi, les trésors qu'elle entasse;
385 Marche en tous ses desseins d'un pas lent et glacé;
Toujours plaint[241] le présent et vante le passé;
Inhabile aux plaisirs dont la jeunesse abuse,
Blâme en eux les douceurs que l'âge lui refuse.
Ne faites point parler vos acteurs au hasard,
390 Un vieillard en jeune homme, un jeune homme en vieillard.
Étudiez la cour et connaissez la ville[242];
L'une et l'autre est toujours en modèles fertile.
C'est par là que Molière, illustrant ses écrits,
Peut-être de son art eût remporté le prix,
395 Si, moins ami du peuple, en ses doctes peintures,
Il n'eût point fait souvent grimacer ses figures,
Quitté, pour le bouffon, l'agréable et le fin,
Et sans honte à Térence[243] allié Tabarin[244].
Dans ce sac ridicule où Scapin s'enveloppe[245],
400 Je ne reconnais plus l'auteur du Misanthrope.
Le comique, ennemi des soupirs et des pleurs,
N'admet point en ses vers de tragiques douleurs;

---

240. *Chagrin :* de mauvaise humeur; **241.** *Plaindre :* regretter, en parlant d'une chose perdue; **242.** *La cour et la ville :* distinction habituelle. Voyez les titres des chapitres VII et VIII des *Caractères* de La Bruyère; **243.** *Térence :* le grand comique latin était plus apprécié que Plaute au XVIIe siècle; **244.** *Tabarin :* voir le vers 86 du chant premier et la note; **245.** L'interprétation de ce vers a fait couler beaucoup d'encre : c'est Géronte, en effet, et non Scapin qui s'enveloppe dans un sac. Boileau songe peut-être à la scène où Scapin (rôle interprété par Molière), apportant le sac s'en couvre comme d'un manteau.

QUESTIONS

● VERS 391-404. Au nom de quel principe le comique et les pleurs sont-ils inconciliables? Quels genres de spectacles, très prisés au XVIIIe siècle, se trouvent ainsi par avance condamnés? — Au nom de quel autre principe Boileau a-t-il également le souci de distinguer la farce de la haute comédie? Rapprochez ces vers de la remarque 52 du chapitre premier des *Caractères* de La Bruyère. — Comment peut-on justifier l'attitude de Boileau à l'égard de son vieil ami Molière? En vous reportant à la *Satire II* (1664) et à l'*Épître VII* (1667), montrez que l'admiration de Boileau ne s'est, en fait, jamais démentie, quoi qu'en ait dit le venimeux Pradon dans ses *Nouvelles Remarques sur tous les ouvrages du Sieur Despréaux* (168:) :

Mais sitôt que la mort dans un sac l'enveloppe
Tu ne reconnais plus l'auteur du Misanthrope.

Mais son emploi n'est pas d'aller, dans une place,
De mots sales et bas charmer la populace[246].
405 Il faut que ses acteurs badinent noblement;
Que son nœud bien formé se dénoue aisément;
Que l'action, marchant où la raison la guide,
Ne se perde jamais dans une scène vide;
Que son style humble et doux se relève à propos;
410 Que ses discours*, partout fertiles en bons mots,
Soient pleins de passions finement maniées[247],
Et les scènes toujours l'une à l'autre liées.
Aux dépens du bon sens gardez de plaisanter :
Jamais de la nature il ne faut s'écarter[248].
415 Contemplez de quel air un père dans Térence[249]
Vient d'un fils amoureux gourmander l'imprudence[250];
De quel air cet amant écoute ses leçons,
Et court chez sa maîtresse oublier ces chansons[251].
Ce n'est pas un portrait, une image semblable;
420 C'est un amant, un fils, un père véritable.
J'aime sur le théâtre un agréable auteur

---

246. « Maintenant que la confusion ne règne plus dans les Empires et que les honnêtes gens ne sont plus semeurs de lentilles ou conducteurs de labourage, tout ce qu'il y a de bien né, de raisonnable et de savant dans les États bien policés, est séparé d'avec le peuple, qui n'a pour toute connaissance que celle des arts mécaniques qu'il exerce plutôt par usage que par théorie » (La Mesnardière); **247.** *Manier :* traiter un sujet; **248.** Voir la fameuse lettre de La Fontaine à Maucroix, du 22 août 1661, où parlant de Molière le fabuliste déclare :

Nous avons conclu d'une voix
Qu'il allait ramener en France
Le bon goût et l'air de Térence [...]
Et maintenant il ne faut pas
Quitter la nature d'un pas.

249. « Voyez Simon dans *l'Andrienne* et Démée dans *les Adelphes* » (note de Boileau); **250.** *Imprudence :* manque de sagesse ou de savoir; **251.** *Chansons :* balivernes.

QUESTIONS

● VERS 405-428. Quelles sont les règles à respecter dans la conduite d'une comédie? — Montrez que le concept de nature est étroitement lié, dans l'esprit de Boileau, à celui de raison. — Pourquoi Boileau ne dit-il pas un mot de Plaute? — Relevez les expressions qui révèlent chez Boileau le désir de faire respecter les principes de la vraisemblance et des bienséances. A quoi ces principes sont-ils intimement liés d'après ce passage? — A quelle condition un auteur de comédie peut-il plaire? — A qui les grandes productions de l'art classique sont-elles destinées? Pourquoi le peuple est-il méprisé? Comparez la fin de ce chant avec la scène VI de *la Critique de « l'École des femmes »*, de Molière.

Qui, sans se diffamer[252] aux yeux du spectateur,
Plaît par la raison seule, et jamais ne la choque.
Mais pour un faux plaisant*, à grossière équivoque[253]*,
425 Qui, pour me divertir, n'a que la saleté,
Qu'il s'en aille, s'il veut, sur deux tréteaux monté,
Amusant le pont Neuf[254] de ses sornettes fades,
Aux laquais assemblés jouer ses mascarades[255].

---

252. *Se diffamer :* se rabaisser, perdre sa réputation; **253.** Voir Racine (Préface des *Plaideurs*) : « [...] ces sales équivoques et ces malheureuses plaisanteries qui coûtent maintenant si peu à la plupart de nos écrivains »; **254.** *Pont-Neuf :* voir le vers 97 du chant premier et la note; **255.** *Mascarade :* « divertissement de travestis » (*Acad.*, 1694).

QUESTIONS

■ SUR L'ENSEMBLE DU CHANT III. — Rapprochez les idées exprimées dans ce chant sur la tragédie et la comédie des Préfaces de Corneille, Racine et Molière, et dites dans quelle mesure Boileau a exprimé les conceptions des poètes dramatiques de son temps ou au contraire s'y est opposé. (Voir aussi les chapitres VI et VII de la *Lettre à l'Académie*, de Fénelon.)

— A propos de la querelle du merveilleux et de l'épopée, rapprochez les idées de Boileau de celles du Tasse (voir l'Index), de Voltaire (*Essai sur la poésie épique*, 1728), de Fielding (*Tom Jones*, 1749, I, 8), de Chateaubriand (*Génie du christianisme*, 1802; voir surtout le chapitre : « Que la mythologie rapetissait la nature »), de V. Hugo (Préface des *Odes*, de 1824, et article sur l'*Éloa* de Vigny paru en mai 1824 dans *la Muse française*).

— Définissez l'attitude de Boileau face au goût du public mondain pour les romans et les intrigues amoureuses.

— Comparez son attitude à l'égard de la « populace » à celle de V. Hugo dans *William Shakespeare* (1864, IV, 6).

CHANT IV

Dans Florence jadis vivait un médecin[256]
Savant hâbleur, dit-on, et célèbre assassin.
Lui seul y fit longtemps la publique misère :
Là le fils orphelin lui redemande un père :
5 Ici le frère pleure un frère empoisonné.
L'un meurt vide de sang, l'autre plein de séné[257];
Le rhume à son aspect[258] se change en pleurésie,
Et par lui la migraine est bientôt frénésie[259].
Il quitte enfin la ville, en tous lieux détesté.
10 De tous ses amis morts un seul ami resté
Le mène en sa maison de superbe structure :
C'était un riche abbé, fou de l'architecture.
Le médecin d'abord* semble né dans cet art.
Déjà de bâtiments parle comme Mansart :
15 D'un salon[260] qu'on élève il condamne la face[261];
Au vestibule obscur il marque une autre place;
Approuve l'escalier tourné d'autre façon[262],
Son ami le conçoit et mande son maçon.
Le maçon vient, écoute, approuve et se corrige.
20 Enfin, pour abréger un si plaisant prodige,
Notre assassin renonce à son art inhumain;
Et désormais, la règle et l'équerre à la main,
Laissant de Galien[263] la science suspecte,
De méchant[264] médecin devient bon architecte.
25 Son exemple est pour nous un précepte excellent.
Soyez plutôt maçon, si c'est votre talent,

---

256. *Un médecin :* Claude Perrault (voir l'Index); **257.** *Séné :* drogue laxative; **258.** *Aspect :* présence; **259.** *Frénésie :* folie furieuse; **260.** *Salon :* de l'italien *salone* (grande salle), le mot est nouveau et encore rare à la fin du siècle; **261.** *Face :* façade; **262.** « Il est vrai que dans la rigueur et dans les étroites règles de la construction, il faudrait dire... « et approuve l'escalier tourné d'une autre manière qu'il n'est ». Ces sortes de petites licences de construction non seulement ne sont pas des fautes, mais sont même assez souvent un des plus grands charmes de la poésie » (Boileau, *Lettre à Brossette* du 2 août 1703); **263.** *Galien :* médecin grec du IIe siècle après J.-C.; **264.** *Méchant :* mauvais.

QUESTIONS

● VERS 1-24. Pourquoi situer l'anecdote à Florence? Quels aspects du caractère de Boileau se révèlent à ce passage et dans les documents cités à l'Index (Perrault)? Montrez comment Boileau sait être « vif et pressé » dans sa narration.

Ouvrier estimé dans un art[265] nécessaire,
Qu'écrivain du commun[266] et poète vulgaire*.
Il est dans tout autre art des degrés différents.
30 On peut avec honneur remplir les seconds rangs;
Mais dans l'art dangereux de rimer et d'écrire,
Il n'est point de degrés du médiocre au pire[267].
Qui dit froid* écrivain dit détestable auteur.
Boyer est à Pinchêne égal pour le lecteur;
35 On ne lit guère plus Rampale et Mesnardière,
Que Magnon, du Souhait, Corbin et La Morlière[268].
Un fou du moins fait rire, et peut nous égayer;
Mais un froid* écrivain ne sait rien qu'ennuyer.
J'aime mieux Bergerac et sa burlesque* audace
40 Que ces vers où Motin nous morfond et nous glace.
Ne vous enivrez point des éloges flatteurs
Qu'un amas quelquefois de vains* admirateurs
Vous donne en ces Réduits[269], prompts à crier merveille!
Tel écrit récité se soutint à l'oreille,
45 Qui, dans l'impression au grand jour se montrant[270],
Ne soutient pas des yeux le regard pénétrant[271].
On sait de cent auteurs l'aventure tragique :
Et Gombaud tant loué garde encor la boutique.
Écoutez tout le monde, assidu consultant :

---

265. *Art :* métier, technique; **266.** *Du commun :* vulgaire, ordinaire; **267.** « Certains genres tolèrent la médiocrité. Mais quant aux poètes, ni les dieux ni les piliers de libraires ne leur permettent d'être médiocres » (Horace, *Art poétique*, vers 374 et suivants); **268.** Ces quatre vers ont remplacé en 1701 les vers suivants :

Les vers ne souffrent point de médiocre auteur
Ses écrits en tous lieux sont l'effroi du lecteur :
Contre eux dans le Palais les boutiques murmurent;
Et les ais chez Billaines à regret les endurent.

Pour tous les noms cités dans ce passage, voir l'Index; **269.** *Réduits :* cercles, salons, où l'on reçoit une société choisie; **270.** « Chapelain » (note de Boileau). Allusion probable à *la Pucelle* que Chapelain avait commencée en 1630 et dont il avait donné lecture dans les salons avant de la faire imprimer en 1655; **271.** « L'impression est l'écueil » (La Bruyère, *Caractères*, I, 5).

QUESTIONS

● VERS 25-40. Rapprochez les vers 29 à 32 de Montaigne (*Essais*, II, 17) et de La Bruyère (*Caractères*, I, 7). Montrez que la remarque de La Bruyère couvre un champ moins étroit que celle de Boileau. — Quelles raisons Boileau avait-il, en 1701, de substituer les vers 33-36 à ceux de la première édition? A quoi tend le rapprochement entre les écrivains morts depuis longtemps, évoqués aux vers 35 et 36, et Boyer et Pinchêne? — Rapprochez le vers 39 du vers 291, chant III. Par quoi Boileau justifie-t-il son jugement?

50 Un fat* quelquefois ouvre un avis important.
Quelques vers toutefois qu'Apollon vous inspire,
En tous lieux aussitôt ne courez pas les lire.
Gardez-vous d'imiter ce rimeur furieux*,
Qui, de ses vains* écrits lecteur harmonieux,
55 Aborde en récitant quiconque le salue,
Et poursuit de ses vers les passants dans la rue.
Il n'est temple[272] si saint, des anges respecté,
Qui soit contre sa muse un lieu de sûreté.
Je vous l'ai déjà dit, aimez qu'on vous censure*,
60 Et, souple à la raison, corrigez sans murmure.
Mais ne vous rendez pas dès qu'un sot vous reprend.
Souvent dans son orgueil un subtil ignorant
Par d'injustes dégoûts[273] combat toute une pièce,
Blâme des plus beaux vers la noble hardiesse[274].
65 On a beau réfuter ses vains* raisonnements :
Son esprit se complaît dans ses faux jugements;
Et sa faible raison, de clarté dépourvue,
Pense que rien n'échappe à sa débile vue.
Ses conseils sont à craindre; et, si vous les croyez,
70 Pensant fuir un écueil, souvent vous vous noyez.
Faites choix d'un censeur* solide et salutaire,
Que la raison conduise et le savoir éclaire,
Et dont le crayon sûr d'abord* aille chercher
L'endroit que l'on sent faible, et qu'on se veut cacher.
75 Lui seul éclaircira vos doutes ridicules,
De votre esprit tremblant lèvera les scrupules.
C'est lui qui vous dira par quel transport[275] heureux,
Quelquefois dans sa course un esprit vigoureux,

---

272. Le « temple » pourrait désigner l'église où, selon Brossette, le poète Du Périer récita des vers à Boileau; 273. *Dégoût :* affront, mortification; 274. Voir l'*Épître VII* (vers 19-32) de Boileau, et *le Misanthrope* (portrait de Damis, II, IV); 275. *Transport :* manifestation d'une passion.

QUESTIONS

● VERS 41-84. Boileau considère-t-il les règles comme sacro-saintes? A quoi doit obéir un *esprit vigoureux?* S'écarte-t-il de la raison en transgressant les règles? — De quoi un bon auteur doit-il savoir se défier? — Comment reconnaître un bon d'un mauvais critique? — Montrez que l'admiration pour les Anciens n'exclut pas le choix (voir aussi la *Septième Réflexion sur Longin*). — Comment juger, du point de vue du style, l'emploi des adverbes aux vers 50, 51, 52, et l'emploi des adjectifs aux vers 53-54 et 62 à 68?

Trop resserré par l'art, sort des règles prescrites,
80 Et de l'art même apprend à franchir leurs[276] limites[277].
Mais ce parfait censeur* se trouve rarement :
Tel excelle à rimer qui juge sottement;
Tel s'est fait par ses vers distinguer dans la ville,
Qui jamais de Lucain n'a distingué Virgile[278].
85 Auteurs, prêtez l'oreille à mes instructions.
Voulez-vous faire aimer vos riches fictions?
Qu'en savantes leçons votre muse fertile
Partout joigne au plaisant* le solide et l'utile[279].
Un lecteur sage fuit un vain* amusement,
90 Et veut mettre à profit son divertissement.
Que votre âme et vos mœurs, peintes dans vos ouvrages[280],
N'offrent jamais de vous que de nobles images.
Je ne puis estimer ces dangereux auteurs
Qui, de l'honneur, en vers, infâmes déserteurs[281],
95 Trahissant la vertu sur un papier coupable,
Aux yeux de leurs lecteurs rendent le vice aimable.
Je ne suis pas pourtant de ces tristes[282] esprits
Qui, bannissant l'amour de tous chastes écrits,

---

276. Dans le texte de 1674, Boileau avait écrit « *les* » *limites*. Desmarets fit remarquer l'équivoque. Boileau corrigea le vers; **277.** « Il y a des artisans et des habiles dont l'esprit est aussi vaste que l'art et la science qu'ils professent [...]. Ils sortent de l'art pour l'ennoblir, s'écartent des règles si elles ne les conduisent pas au grand et au sublime; ils marchent seuls et sans compagnie, mais ils vont fort haut et pénètrent fort loin, toujours sûrs et confirmés par le succès des avantages que l'on tire quelquefois de l'irrégularité » (La Bruyère, *Caractères*, I, 61); **278.** « Le grand Corneille, raconte Huet, m'a avoué, non sans quelque peine et quelque honte, qu'il préférait Lucain à Virgile. » C'est à Lucain qu'il avait emprunté le sujet de *Pompée ;* **279.** « Pour enlever les suffrages, mêlez l'utile à l'agréable; en charmant le lecteur et en l'instruisant » (Horace, *Art poétique*, vers 342); **280.** Boileau avait d'abord écrit : « *peints* dans tous vos ouvrages ». Cette faute d'accord ne lui fut signalée qu'en 1703. Il remarque à ce propos, dans sa lettre à Brossette du 3 juillet 1703 : « Cela fait voir qu'il faut non seulement montrer ses ouvrages à beaucoup de gens avant que de les faire imprimer, mais que même après qu'ils sont imprimés, il faut s'enquérir curieusement des critiques qui y sont faites »; **281.** Allusion aux *Contes* de La Fontaine, d'après Brossette. Voir aussi les vers très durs de la *Satire X*, qui viseront la traduction de *Joconde*, publiée en 1669; **282.** *Triste :* sévère, rigoureux, morose.

QUESTIONS

● VERS 85-96. Montrez qu'une des fins de la poésie, pour un classique, est la morale. Boileau a-t-il mis partout, dans son *Art poétique*, l'accent avec autant de vigueur sur cette notion d'utilité? Pourquoi? — Quelle était à cet égard l'attitude de Molière, de La Fontaine, de Corneille et de Racine? (Voir les Préfaces de leurs œuvres et *la Critique de « l'École des femmes »* de Molière; voir aussi le texte de Chapelain cité dans la Documentation thématique.) — Expliquez le mot *peintes*, au vers 91. S'agit-il pour l'écrivain de faire des confidences personnelles?

D'un si riche ornement veulent priver la scène,
100 Traitent d'empoisonneurs[283] et Rodrigue et Chimène.
L'amour le moins honnête, exprimé chastement,
N'excite point en nous de honteux mouvement.
Didon a beau gémir, et m'étaler ses charmes;
Je condamne sa faute en partageant ses larmes.
105 Un auteur vertueux, dans ses vers innocents,
Ne corrompt point le cœur en chatouillant les sens;
Son feu n'allume point de criminelle flamme.
Aimez donc la vertu, nourrissez-en votre âme :
En vain l'esprit est plein d'une noble vigueur;
110 Le vers se sent toujours des bassesses du cœur.
Fuyez surtout, fuyez ces basses jalousies,
Des vulgaires* esprits malignes[284] frénésies[285].
Un sublime* écrivain n'en peut être infecté;
C'est un vice qui suit la médiocrité.
115 Du mérite éclatant cette sombre rivale
Contre lui chez les grands incessamment cabale,
Et, sur les pieds en vain tâchant de se hausser,
Pour s'égaler à lui, cherche à le rabaisser.
Ne descendons jamais dans ces lâches intrigues :
120 N'allons point à l'honneur par de honteuses brigues.
Que les vers ne soient pas votre éternel emploi.
Cultivez vos amis, soyez homme de foi :
C'est peu d'être agréable et charmant dans un livre,
Il faut savoir encore et converser et vivre[286].
125 Travaillez pour la gloire, et qu'un sordide gain

---

283. « Un faiseur de roman et un poète de théâtre est un empoisonneur public, non des corps mais des âmes », avait écrit Nicole dans la première de ses *visionnaires* contre Desmarets de Saint-Sorlin. Racine avait vivement réagi à cette déclaration de son ancien maître; **284.** *Maligne :* malveillante, malfaisante; **285.** *Frénésie :* voir le vers 8 et la note; **286.** Brossette a vu dans ces vers une allusion à La Fontaine, « pesant en conversation » selon Saint-Simon, « fort ennuyeux, ne parlant point » (d'après L. Racine, *Mémoires sur la vie et les ouvrages de Jean Racine*). On pourrait penser aussi à Corneille, « d'une ennuyeuse conversation » suivant La Bruyère (voir les *Caractères*, XII, 56).

QUESTIONS

● VERS 97-110. Connaissez-vous quelques-uns de ces *tristes esprits* auxquels il est fait allusion au vers 97? — Montrez que Boileau, en dépit de ses sympathies jansénistes, se range du parti des « honnêtes gens » sur la question de l'amour au théâtre. Rapprochez ces vers de ceux du chant III sur le même sujet et de la lettre à M. de Losme de Montchesnay (p. 126) et dites quels arguments il oppose à la censure. Partagez-vous sur ce point son opinion?

Ne soit jamais l'objet d'un illustre écrivain.
Je sais qu'un noble esprit peut, sans honte et sans crime,
Tirer de son travail un tribut légitime[287];
Mais je ne puis souffrir ces auteurs renommés,
130 Qui, dégoûtés de gloire et d'argent affamés[288],
Mettent leur Apollon aux gages d'un libraire[289],
Et font d'un art divin un métier mercenaire.
Avant que la raison, s'expliquant par la voix[290],
Eût instruit les humains, eût enseigné les lois,
135 Tous les hommes suivaient la grossière nature,
Dispersés dans les bois couraient à la pâture :
La force tenait lieu de droit et d'équité;
Le meurtre s'exerçait avec impunité.
Mais du discours* enfin l'harmonieuse adresse
140 De ces sauvages mœurs adoucit la rudesse,
Rassembla les humains dans les forêts épars,
Enferma les cités de murs et de remparts,
De l'aspect du supplice effraya l'insolence[291],
Et sous l'appui des lois mit la faible innocence.
145 Cet ordre[292] fut, dit-on, le fruit des premiers vers.
De là sont nés ces bruits reçus[293] dans l'univers,
Qu'aux accents dont Orphée[294] emplit les monts de Thrace,
Les tigres amollis dépouillaient leur audace;
Qu'aux accords d'Amphion les pierres se mouvaient,
150 Et sur les murs thébains en ordre s'élevaient.

---

287. « Despréaux n'avait fait ces deux vers que pour mon père qui tirait quelque profit de ses tragédies » (Louis Racine, *op. cit.*); **288.** Selon Brossette, il y aurait là une allusion à Corneille, qui aurait déclaré à Boileau : « Oui, je suis saoul de gloire et affamé d'argent »; **289.** « Despréaux m'a assuré que jamais libraire ne lui avait payé un seul de ses ouvrages » (L. Racine, *op. cit.*); **290.** Le passage qui suit est imité d'Horace (*Art poétique*, vers 391-417); **291.** *Insolence :* audace, violence; **292.** *Ordre :* organisation; **293.** *Bruits reçus :* les traditions; **294.** *Orphée* et *Amphion* (vers 149) sont des poètes légendaires.

QUESTIONS

● VERS 111-132. Relevez les expressions qui montrent que Boileau ne s'adresse qu'à une élite d'écrivains, parmi lesquels il se compte. Montrez que, pour lui, le poète doit être aussi un « honnête homme ». Pourquoi? — Vers 111-120 : quelle est la part de l'expérience personnelle dans ce développement? — Connaissez-vous des *intrigues* dont eurent à se défendre Corneille, Molière ou Racine? — Vers 125-132 : étudiez le jeu des antithèses. Quelle est l'expression qui souligne le caractère sacré de la poésie? — La concession des vers 127-128 n'enlève-t-elle pas beaucoup de sa force à l'argument qui suit?

L'harmonie en naissant produisit ces miracles.
Depuis, le ciel en vers fit parler les oracles;
Du sein d'un prêtre ému d'une divine horreur[295],
Apollon par des vers exhala sa fureur*.
155 Bientôt, ressuscitant les héros des vieux âges,
Homère aux grands exploits anima les courages.
Hésiode[296] à son tour, par d'utiles leçons,
Des champs trop paresseux vint hâter les moissons.
En mille écrits fameux la sagesse tracée
160 Fut, à l'aide des vers, aux mortels annoncée;
Et partout des esprits ses préceptes vainqueurs,
Introduits par l'oreille entrèrent dans les cœurs.
Pour tant d'heureux bienfaits, les Muses révérées
Furent d'un juste encens dans la Grèce honorées,
165 Et leur art, attirant le culte des mortels,
A sa gloire en cent lieux vit dresser des autels.
Mais enfin l'indigence amenant la bassesse,
Le Parnasse oublia sa première noblesse.
Un vil amour du gain, infectant les esprits,
170 De mensonges grossiers souilla tous les écrits;
Et partout, enfantant mille ouvrages frivoles,
Trafiqua du discours*, et vendit les paroles.
Ne vous flétrissez point par un vice si bas.
Si l'or seul a pour vous d'invincibles appas,
175 Fuyez ces lieux charmants qu'arrose le Permesse[297] :
Ce n'est point sur ses bords qu'habite la richesse,
Aux plus savants auteurs, comme aux plus grands guerriers,
Apollon ne promet qu'un nom et des lauriers.

---

295. *Horreur :* saisissement de crainte ou de respect; 296. *Hésiode*. Légèrement postérieur à Homère, il est l'auteur des *Travaux et les Jours*, poème didactique qui renferme de nombreux conseils pratiques de morale et de vie agricole; 297. *Permesse :* rivière de Béotie, sortie de l'Hélicon (cité au vers 183) et consacrée aux Muses.

QUESTIONS

● VERS 133-154. *La grossière nature* (vers 135) : cette nature est-elle comparable à celle qui est évoquée aux vers 108 et 359 du chant III? Quelle est celle qui doit être imitée par le poète? — Quelle est la fonction de la poésie dans la civilisation? Montrez que la raison est intimement liée à la poésie et au progrès.

● VERS 155-173. Quels sont les détails qui visent à conférer à la poésie une origine et un caractère presque religieux? Montrez que Boileau s'oppose à toutes les doctrines de l'art pour l'art. — Que désigne, d'après vous, l'expression *mensonges grossiers*, au vers 170?

Mais quoi! dans la disette une muse affamée
180 Ne peut pas, dira-t-on, subsister de fumée;
Un auteur qui, pressé d'un besoin importun,
Le soir entend crier ses entrailles à jeun,
Goûte peu d'Hélicon les douces promenades :
Horace a bu son soûl quand il voit les Ménades[298],
185 Et, libre du souci qui trouble Colletet,
N'attend pas, pour dîner, le succès d'un sonnet*.
Il est vrai : mais enfin cette affreuse disgrâce
Rarement parmi nous afflige le Parnasse.
Et que craindre en ce siècle, où toujours les beaux-arts
190 D'un astre favorable éprouvent les regards,
Où d'un prince éclairé la sage prévoyance
Fait partout au mérite ignorer l'indigence?
Muses, dictez sa gloire à tous vos nourrissons[299],
Son nom vaut mieux pour eux que toutes vos leçons.
195 Que Corneille, pour lui rallumant son audace,
Soit encor le Corneille et du Cid et d'Horace[300];
Que Racine, enfantant des miracles nouveaux,
De ses héros sur lui forme tous les tableaux;
Que de son nom, chanté par la bouche des belles,
200 Benserade en tous lieux amuse les ruelles[301];
Que Segrais dans l'églogue* en charme les forêts,
Que pour lui l'épigramme* aiguise tous ses traits.
Mais quel heureux auteur, dans une autre Énéide,
Aux bords du Rhin tremblant conduira cet Alcide[302]?
205 Quelle savante lyre, au bruit de ses exploits,

---

298. « Horace est rassasié quand il chante Évohé » (Juvénal, *Satire VII*, vers 59); **299.** *Nourrissons* (expression consacrée) : les poètes sont les nourrissons des Muses; **300.** *Tite et Bérénice* et *Pulchérie* venaient d'être jouées, l'une en 1670, l'autre en 1672, et n'avaient guère réussi. Corneille fut piqué par ces vers; **301.** *Ruelle :* alcôve où les dames de qualité recevaient leurs invités; **302.** *Alcide :* Hercule.

QUESTIONS

● VERS 174-192. En ce qui concerne les gratifications, reportez-vous aux *Satires première* (vers 77-78) et *IX* (vers 309-312) et aux *Épîtres première* (vers 157-175), *V* (vers 125-131), *VIII* (vers 73-80). Montrez l'évolution de Boileau à ce sujet. Comment l'expliquez-vous? — Qui est désigné par le mot *astre* au vers 190? La métaphore est-elle bien cohérente? — Les gratifications données aux écrivains ont-elles vraiment fait disparaître les flatteries de « tous les écrits » comme le prétend Boileau? — Avez-vous l'impression, en lisant les *Caractères* de La Bruyère, que le mérite était aussi bien récompensé au siècle de Louis XIV que le dit Boileau?

Fera marcher encor les rochers et les bois;
Chantera le Batave, éperdu dans l'orage[303],
Soi-même se noyant pour sortir du naufrage,
Dira les bataillons sous Mastricht[304] enterrés
210 Dans ces affreux assauts du soleil éclairés?
Mais tandis que je parle une gloire nouvelle[305]
Vers ce vainqueur rapide aux Alpes vous appelle.
Déjà Dole[306] et Salins sous le joug ont ployé;
Besançon fume encor sur son roc foudroyé.
215 Où sont ces grands guerriers dont les fatales ligues[307]
Devaient à ce torrent opposer tant de digues?
Est-ce encore en fuyant qu'ils pensent l'arrêter,
Fiers du honteux honneur d'avoir su l'éviter[308]?
Que de remparts détruits! Que de villes forcées!
220 Que de moissons de gloire en courant amassées!
Auteurs, pour les chanter, redoublez vos transports :
Le sujet ne veut pas de vulgaires* efforts.
Pour moi, qui, jusqu'ici nourri dans la satire,
N'ose encore manier la trompette et la lyre,
225 Vous me verrez pourtant, dans ce champ glorieux,
Vous animer du moins de la voix et des yeux;
Vous offrir ces leçons que ma muse au Parnasse,
Rapporta jeune encor du commerce d'Horace;

---

303. Après le passage du Rhin en juin 1672, les Hollandais avaient ouvert leurs écluses pour arrêter la marche de Louis XIV; 304. *Maëstricht :* la ville fut prise par Vauban, en présence du roi, le 29 juin 1673; 305. Ce passage, jusqu'au vers 222, fut ajouté en cours d'impression, d'après Berriat de Saint-Prix, un des éditeurs des œuvres de Boileau en 1830; 306. *Dole* fut prise le 6 juin 1674 et *Salins* le 22 du même mois. *Besançon* était tombé le 15 mai. Par cette campagne, la Franche-Comté était enlevée à l'Espagne; 307. *Ligues :* allusion au traité d'alliance du 30 août 1673 entre l'Empereur, l'Espagne et la Hollande, contre la France; 308. D'après Brossette, Montecuculi, le général des Impériaux, s'était vanté, en 1673, d'avoir rompu le combat par une habile retraite.

QUESTIONS

● VERS 193-210. Qui est désigné sous le nom d'*Alcide* au vers 204? A quelle légende est-il de nouveau fait allusion au vers 206? Pourquoi Benserade et Segrais sont-ils cités? Que représentent-ils? Comment expliquer qu'ils aient été mis à cette place d'honneur, près de Corneille et de Racine? — En quoi les vers 203 et suivants révèlent-ils une lacune dans la production de la littérature classique?

● VERS 211-220. Quelle allure le passage ajouté au dernier moment donne-t-il à la fin de *l'Art poétique?* — Quels sont les procédés de la louange dans les vers 193 à 220?

Seconder votre ardeur, échauffer vos esprits,
230 Et vous montrer de loin la couronne et le prix.
Mais aussi pardonnez, si, plein de ce beau zèle,
De tous vos pas fameux, observateur fidèle,
Quelquefois du bon or je sépare le faux,
Et des auteurs grossiers j'attaque les défauts;
235 Censeur* un peu fâcheux, mais souvent nécessaire,
Plus enclin à blâmer que savant à bien faire.

QUESTIONS

● Vers 221-236. De quels genres *la trompette* et *la lyre* sont-ils les symboles? — En vous reportant aux *Épîtres première*, *V* et *VIII*, montrez que Boileau a éprouvé longtemps la tentation de l'épopée et de l'ode. Y a-t-il succombé? — Quel rôle et quelle attitude se donne-t-il à la fin de son œuvre?

■ Sur l'ensemble du chant IV. — Rapprochez les considérations de ce chant sur l'amour au théâtre de celles de Bossuet (*Maximes et réflexions sur la comédie*, 1694), de Fénelon (*Lettre à l'Académie*, VI, 1714), puis de celles de J.-J. Rousseau (*Lettre à d'Alembert sur les spectacles*, 1757).

— Quelles étaient, du temps de Boileau, les ressources matérielles des écrivains?

— En quoi consiste pour un classique la dignité de l'art et de l'artiste?

— Montrez le satirique en Boileau sous le théoricien dans ce IVe chant.

— En vous reportant aux développements des vers 182 et suivants du chant premier et 62 à 64 du chant IV, ainsi qu'aux notes des vers 286 du chant III et 80 et 91 du chant IV, définissez l'attitude de Boileau à l'égard de la critique et des critiques.

APRÈS *L'ART POÉTIQUE*

LA QUERELLE DES ANCIENS ET DES MODERNES

En s'en prenant, dans *l'Art poétique*, à Desmarets de Saint-Sorlin et à ses théories sur l'épopée, Boileau avait ravivé la discussion qui depuis quelque temps opposait les écrivains sur le point de savoir si l'imitation des Anciens devait aller jusqu'à traiter uniquement, dans un poème héroïque, des sujets empruntés à la mythologie païenne. Mais le débat, en fait, allait plus loin, bien que Boileau dans ses vers ne l'eût point fait paraître. Il opposait ceux qui croyaient au progrès de l'intelligence et de la civilisation, ceux qui pensaient que l'autorité que s'étaient acquise les Anciens ne les mettaient pas à l'abri des critiques d'une raison éclairée, à ceux qui s'en tenaient à la tradition[309].

L'Académie française, où dominaient les Modernes, prit rapidement position. Dès le mois d'août 1674, à l'occasion de la réception de Huet, Quinault, Ch. Perrault et Desmarets lurent des discours ou poèmes en faveur de leurs thèses. L'année suivante, en 1675, Desmarets publia sa *Défense de la poésie et de la langue française* et Carel de Sainte-Garde, sa *Défense des beaux esprits de ce temps contre un satirique*. Parmi ces beaux esprits, l'auteur, du reste admirateur d'Homère et de Virgile (il publiera en 1676 une *Défense d'Homère et de Virgile ou la Belle Manière de composer un poème héroïque*), place Saint-Amant, Scudéry et Brébeuf, quelque peu malmenés dans *l'Art poétique*, et ne craint pas de tracer un éloge de Ronsard.

Cependant la querelle des Anciens et des Modernes prit une nouvelle vigueur et entra dans une nouvelle phase avec la lecture, lors d'une séance de l'Académie française le 27 janvier 1687, du poème de Charles Perrault : *le Siècle de Louis le Grand.* Dès les premiers vers l'auteur exposait sa thèse :

La belle Antiquité fut toujours vénérable
Mais je ne crus jamais qu'elle fût adorable.
Je vois les Anciens sans plier les genoux,
Ils sont grands, il est vrai, mais hommes comme nous
Et l'on peut comparer sans craindre d'être injuste,
Le Siècle de Louis au beau Siècle d'Auguste. [...]

---

309. « Autrefois il suffisait de citer Aristote pour fermer la bouche à quiconque aurait osé soutenir une proposition contraire aux sentiments de ce philosophe. Présentement on écoute ce philosophe comme un autre habile homme, et sa voix n'a de crédit qu'autant qu'il y a de raison dans ce qu'il avance. » (Cl. Perrault, *Parallèle des Anciens et des Modernes*, premier dialogue.)

Si nous voulions ôter le voile spécieux
Que la Prévention nous met devant les yeux,
Et lassés d'applaudir à mille erreurs grossières,
Nous servir quelquefois de nos propres lumières. [...]

Le poème fut applaudi; mais un académicien au moins refusa de s'associer aux louanges : notre irascible Boileau. Ch. Perrault le rappelle dans les *Mémoires de ma vie :* « Ces louanges irritèrent tellement M. Despréaux qu'après avoir grondé longtemps tout bas, il s'éleva dans l'Académie et dit que c'était une honte qu'on fît une telle lecture, qui blâmait les plus grands hommes de l'Antiquité. M. Huet, alors évêque de Soissons, lui dit de se taire, et que, s'il était question de prendre le parti des Anciens, cela lui conviendrait mieux qu'à lui, parce qu'il les connaissait beaucoup mieux, mais qu'ils n'étaient là que pour écouter... »

L'indignation de Boileau ne se manifesta d'abord, sur le plan littéraire, que par des épigrammes vengeresses, où l'Académie était traitée de « topinamboue » (voir la *Lettre à Maucroix*, page 123). Mais Perrault ne s'en tint pas là. En octobre 1688, il publia, en un volume qui comprenait aussi *le Siècle de Louis le Grand* et une épître à Fontenelle sur le *Génie*, les deux premiers dialogues du *Parallèle des Anciens et des Modernes en ce qui regarde les Arts et les Sciences*. Ce premier volume fut suivi de trois autres en 1690, 1692 et 1697. Boileau put y trouver nombre d'allusions à ses œuvres et à sa personne, quelques-unes flatteuses, et d'autres qui l'étaient moins. Il se contenta d'abord, là encore, de répondre par des épigrammes. En 1693 pourtant, après les allusions du troisième volume, il écrivit un *Discours sur l'Ode*, qui parut la même année en édition séparée avec son *Ode sur la prise de Namur*. Ce *Discours* est dirigé contre Perrault et sa famille. Il constitue le premier de ces textes qui vont marquer pendant quelques années l'affrontement avec Perrault et l'obliger à préciser et à faire évoluer sa pensée critique, face à un adversaire qui oppose à son admiration affichée pour les Anciens, la raison et le bon goût des honnêtes gens, si souvent invoqués dans *l'Art poétique*. C'est à ce titre que nous publions ici des extraits du *Discours sur l'Ode*, la *Septième Réflexion sur Longin* et un long passage de la *Lettre à Perrault*, pièces auxquelles on associera la Préface de 1701.

DISCOURS SUR L'ODE

L'ode suivante a été composée à l'occasion de ces étranges dialogues, qui ont paru depuis quelque temps, où tous les plus grands écrivains de l'antiquité sont traités d'esprits médiocres, de gens à être mis en parallèle avec les Chapelains et avec les

5 Cotins[310], et où, voulant faire honneur à notre siècle, on l'a en quelque sorte diffamé[311], en faisant voir qu'il s'y trouve des hommes capables d'écrire des choses si peu sensées. Pindare est des plus maltraités. Comme les beautés de ce poète sont extrêmement renfermées dans sa langue, l'auteur de ces 10 dialogues, qui vraisemblablement ne sait point de grec, et qui n'a lu Pindare que dans des traductions latines assez défectueuses, a pris pour galimatias tout ce que la faiblesse de ses lumières ne lui permettait pas de comprendre. Il a surtout traité de ridicules ces endroits merveilleux où le poète, pour 15 marquer un esprit entièrement hors de soi, rompt quelquefois de dessein formé la suite de son discours; et afin de mieux entrer dans la raison, sort, s'il faut ainsi parler, de la raison même, évitant avec grand soin cet ordre méthodique et ces exactes liaisons de sens qui ôteraient l'âme à la poésie lyrique. 20 Le censeur dont je parle n'a pas pris garde qu'en attaquant ces nobles hardiesses de Pindare, il donnait lieu de croire qu'il n'a jamais conçu le sublime des psaumes de David, où, s'il est permis de parler de ces saints catholiques à propos de choses si profanes, il y a beaucoup de ces sens rompus[312], 25 qui servent même quelquefois à en faire sentir la divinité. Ce critique, selon toutes les apparences, n'est pas fort convaincu du précepte que j'ai avancé dans mon *Art poétique*, à propos de l'ode :

Son style impétueux souvent marche au hasard :
30 Chez elle un beau désordre est un effet de l'art[313].

Ce précepte effectivement, qui donne pour règle de ne point garder quelquefois de règles, est un mystère de l'art, qu'il n'est point aisé de faire entendre à un homme sans aucun goût, qui croit que la Clélie et nos opéras sont les modèles du genre 35 sublime[314]; qui trouve Térence fade, Virgile froid, Homère de

310. « LE PRÉSIDENT : En un mot vous concluez que le Tasse, que Chapelain, que Desmarets, que le Père Le Moyne et Scudéry sont de meilleurs poètes que Virgile et Homère [...]. L'ABBÉ : Dieu me garde de dire jamais pareille chose... » (*Parallèle*, Dialogue IV, volume III); **311.** Perrault répondit aussitôt au *Discours* de Boileau par une lettre. A propos de cette expression il note : « Pour faire voir que je diffame notre siècle, il faut montrer que je suis dans l'erreur et m'en convaincre par de bonnes raisons, mais cela est un peu plus malaisé que de dire une injure ou de mettre mon nom à la fin d'un vers. Les admirateurs outrés des Anciens ne s'aviliront pas jusqu'à raisonner »; **312.** *Sens rompus :* ruptures de sens; **313.** *L'Art poétique*, chant II, vers 71-72; **314.** « La *Clélie* est en son genre un des plus beaux ouvrages que nous ayons [...]. J'estime fort les opéras de M. Quinault pour l'art et le beau naturel qui s'y rencontrent; mais je n'ai point dit que les opéras ni la *Clélie* fussent des modèles du genre sublime auquel ils n'ont point visé » (Perrault, *Lettre à M. D. touchant la préface de son « Ode sur Namur »*).

mauvais sens[315], et qu'une espèce de bizarrerie d'esprit[316] rend insensible à tout ce qui frappe ordinairement les hommes[317]. Mais ce n'est pas ici le lieu de lui montrer ses erreurs. On le fera peut-être plus à propos un de ces jours, dans quelque autre
40 ouvrage. Pour revenir à Pindare, il ne serait pas difficile d'en faire sentir les beautés à des gens qui se seraient un peu familiarisés avec le grec; mais comme cette langue est aujourd'hui assez ignorée de la plupart des hommes, et qu'il n'est pas possible de leur faire voir Pindare dans Pindare même, j'ai
45 cru que je ne pouvais mieux justifier ce grand poète qu'en tâchant de faire une ode en français à sa manière, c'est-à-dire pleine de mouvements et de transports où l'esprit parût plutôt entraîné du démon de la poésie que guidé par la raison. C'est le but que je me suis proposé dans l'ode qu'on va voir. J'ai
50 pris pour sujet la prise de Namur[318], comme la plus grande action de guerre qui se soit faite de nos jours, et comme la matière la plus propre à échauffer l'imagination d'un poète. J'y ai jeté, autant que j'ai pu, la magnificence des mots; et, à l'exemple des anciens poètes dithyrambiques, j'y ai employé
55 les figures les plus audacieuses, jusqu'à y faire un astre de la plume blanche[319] que le roi porte ordinairement à son chapeau, et qui est en effet comme une espèce de comète fatale à nos ennemis, qui se jugent perdus dès qu'ils l'aperçoivent. Voilà le dessein de cet ouvrage. Je ne réponds pas d'y avoir
60 réussi; et je ne sais si le public, accoutumé aux sages emportements de Malherbe, s'accommodera de ces saillies et de ces excès pindariques.

---

315. *Mauvais sens :* mauvais goût; **316.** Dans l'édition de 1693, Boileau avait écrit : « [...] bizarrerie d'esprit, qu'il a, dit-on, en commun avec toute sa famille ». Cette expression disparut dès l'édition de 1694 après la protestation de Perrault : « Cet endroit, monsieur, est trop fort et excède toutes les libertés et toutes les licences que les gens de lettres prennent dans leurs disputes [...] » *(Lettre)*; **317.** « Vous qui n'avez de sensibilité, à ce qu'on dit, que pour la poésie, sensibilité que je vous refuserai toujours, vous qui connaissez si peu l'architecture, la sculpture, la peinture, qui n'avez presque point de commerce avec la philosophie et les mathématiques ni avec nulles autres choses semblables qui font les plaisirs des honnêtes gens... » *(Lettre)*; **318.** *Namur :* la ville fut prise par Louis XIV le 5 juin 1692 au cours de sa guerre contre la Ligue d'Augsbourg; **319.** Dans une lettre à Racine du 4 juin 1693 où il soumet son *Ode* au jugement de son ami, Boileau note : « J'y ai hasardé des choses fort neuves jusqu'à parler de la plume blanche que le Roi a sur son chapeau. Mais à mon avis pour trouver des expressions nouvelles en vers il faut parler de choses qui n'aient point été dites en vers. »

QUESTIONS

■ SUR « LE DISCOURS ». — Rapprochez les déclarations de Boileau sur les ruptures de sens et les règles données aux vers 77 à 80 du chant IV de *l'Art poétique*. (Suite, v. p. 97.)

SEPTIÈME RÉFLEXION SUR LONGIN

En 1694, Boileau fit paraître une nouvelle édition de ses *Œuvres diverses*. Il y inséra la *Satire X*, contre les femmes, déjà publiée à part en mars de la même année, et neuf *Réflexions critiques sur quelques passages de Longin*. Dans chacune de ces réflexions, composées de 1692 à 1694, Boileau part d'une citation du rhéteur Longin (dont il avait déjà publié une traduction du *Traité du sublime* en 1674), et se donne pour tâche de corriger les erreurs de Ch. Perrault, mais sans jamais élever vraiment le débat, sauf dans la *Réflexion VII*, qui constitue un exposé critique intéressant sur l'admiration pour les Anciens. Après 1710, il écrivit trois nouvelles réflexions, qui furent publiées dans l'édition de 1713.

RÉFLEXION VII

Il faut songer au jugement que toute la postérité fera de nos écrits.
(*Paroles de Longin*, chap. XII.)

Il n'y a en effet que l'approbation de la postérité qui puisse établir le vrai mérite des ouvrages. Quelque éclat qu'ait fait un écrivain durant sa vie, quelques éloges qu'il ait reçus, on ne peut pas pour cela infailliblement conclure que ses ouvrages
5 soient excellents. De faux brillants, la nouveauté du style, un tour d'esprit qui était à la mode, peuvent les avoir fait valoir; et il arrivera peut-être que dans le siècle suivant on ouvrira les yeux, et que l'on méprisera ce que l'on a admiré. Nous en avons un bel exemple dans Ronsard et dans ses imitateurs,
10 comme du Bellay, du Bartas, Desportes, qui, dans le siècle précédent, ont été l'admiration de tout le monde, et qui aujourd'hui ne trouvent pas même de lecteurs.

La même chose était arrivée chez les Romains à Nævius, à Livius et à Ennius, qui, du temps d'Horace, comme nous
15 l'apprenons de ce poète[320], trouvaient encore beaucoup de gens qui les admiraient, mais qui à la fin furent entièrement décriés. Et il ne faut point s'imaginer que la chute de ces auteurs, tant les français que les latins, soit venue de ce que les langues

320. Voir Horace, *Épître II*, I.

QUESTIONS

(Suite.) — A quoi, dans son *Discours*, ramène-t-il la poésie lyrique? Vous semble-t-il avoir atteint au lyrisme dans son *Ode?* — Comparez cette œuvre aux *Odes* de Malherbe.

de leur pays ont changé. Elle n'est venue que de ce qu'ils
20 n'avaient point attrapé dans ces langues le point de solidité et de perfection qui est nécessaire pour faire durer et pour faire à jamais priser des ouvrages. En effet, la langue latine, par exemple, qu'ont écrite Cicéron et Virgile, était déjà fort changée du temps de Quintilien, et encore plus du temps
25 d'Aulu-Gelle. Cependant Cicéron et Virgile y étaient encore plus estimés que de leur temps même, parce qu'ils avaient comme fixé la langue par leurs écrits, ayant atteint le point de perfection que j'ai dit.

Ce n'est donc point la vieillesse des mots et des expressions
30 dans Ronsard qui a décrié[321] Ronsard; c'est qu'on s'est aperçu tout d'un coup que les beautés qu'on y croyait voir n'étaient point des beautés; ce que Bertaut, Malherbe, de Lingendes[322] et Racan, qui vinrent après lui, contribuèrent beaucoup à faire connaître, ayant attrapé dans le genre sérieux le vrai
35 génie* de la langue française, qui, bien loin d'être en son point de maturité du temps de Ronsard, comme Pasquier[323] se l'était persuadé faussement, n'était pas même encore sorti de sa première enfance. Au contraire, le vrai tour de l'épigramme*, du rondeau* et des épîtres naïves* ayant été trouvé,
40 même avant Ronsard, par Marot, par Saint-Gelais[324] et par d'autres; non seulement leurs ouvrages en ce genre ne sont point tombés dans le mépris mais ils sont encore aujourd'hui généralement estimés; jusque-là même que pour trouver l'air naïf* en français, on a encore quelquefois recours à leur style;
45 et c'est ce qui a si bien réussi au célèbre M. de La Fontaine. Concluons donc qu'il n'y a qu'une longue suite d'années qui puisse établir la valeur et le vrai mérite d'un ouvrage.

Mais, lorsque des écrivains ont été admirés durant un fort grand nombre de siècles, et n'ont été méprisés que par quelques
50 gens de goût bizarre, car il se trouve toujours des goûts dépravés, alors non seulement il y a de la témérité, mais il y a de la folie à vouloir douter du mérite de ces écrivains. Que si vous ne voyez point les beautés de leurs écrits, il ne faut pas conclure qu'elles n'y sont point, mais que vous êtes aveugle et que vous

---

321. *Décrié :* discrédité; **322.** *Jean de Lingendes* (1580-1616), auteur de poésies pastorales; **323.** *Pasquier* (Étienne) [1529-1615], jurisconsulte et magistrat, auteur des *Recherches sur la France*, où il fait l'éloge de Ronsard et où il fournit par avance des arguments aux Modernes; **324.** *Saint-Gelais (Mellin de)* [1491-1558], disciple de Marot, qui considéra surtout la poésie comme un aimable divertissement mondain.

55 n'avez point de goût. Le gros des hommes à la longue ne se trompe point sur les ouvrages d'esprit. Il n'est plus question, à l'heure qu'il est, de savoir si Homère, Platon, Cicéron, Virgile sont des hommes merveilleux[325], c'est une chose sans contestation, puisque vingt siècles en sont convenus; il s'agit 60 de savoir en quoi consiste ce merveilleux qui les a fait admirer de tant de siècles, et il faut trouver moyen de le voir, ou renoncer aux belles-lettres, auxquelles vous devez croire que vous n'avez ni goût ni génie*, puisque vous ne sentez point ce qu'ont senti tous les hommes.

65 Quand je dis cela, néanmoins, je suppose que vous sachiez la langue de ces auteurs car, si vous ne la savez point et si vous ne vous l'êtes point familiarisée, je ne vous blâmerai pas de n'en point voir les beautés, je vous blâmerai seulement d'en parler. Et c'est en quoi on ne saurait trop condamner M. P..., 70 qui, ne sachant point la langue d'Homère, vient hardiment lui faire son procès sur les bassesses de ses traducteurs[326], et dire au genre humain, qui a admiré les ouvrages de ce grand poète durant tant de siècles : « Vous avez admiré des sottises. » C'est à peu près la même chose qu'un aveugle-né qui s'en 75 irait crier par toutes les rues : « Messieurs, je sais que le soleil que vous voyez vous paraît fort beau; mais moi, qui ne l'ai jamais vu, je vous déclare qu'il est fort laid. »

Mais, pour revenir à ce que je disais, puisque c'est la postérité seule qui met le véritable prix aux ouvrages, il ne faut pas, 80 quelque admirable que vous paraisse un écrivain moderne, le mettre aisément en parallèle avec ces écrivains admirés durant un si grand nombre de siècles, puisqu'il n'est pas même sûr que ses ouvrages passent avec gloire au siècle suivant. En effet, sans aller chercher des exemples éloignés, combien n'avons-85 nous point vu d'auteurs admirés dans notre siècle, dont la

---

325. *Merveilleux :* étonnant; **326.** Au volume III de ses *Parallèles*, Perrault consacre de longues pages à Homère. Nous en extrayons un passage caractéristique : « Je suis offensé d'entendre Achille qui traite Agamemnon d'ivrogne et d'impudent, qui l'appelle sac à vin et visage de chien : il n'est pas possible que des rois et de grands capitaines aient jamais été assez brutaux pour en user ainsi, ou si cela est arrivé quelquefois, ce sont des mœurs trop indécentes pour être représentées dans un poème, où les choses se mettent non point comme elles peuvent mais comme elles doivent arriver pour donner de l'instruction ou du plaisir. Pour ce qui est du caractère qu'Homère donne à ses personnages, j'avoue qu'ils sont pour la plupart très beaux et très bien gardés dans tout l'ouvrage, et c'est la partie où Homère est le plus admirable : cependant celui d'Achille me paraît mal entendu. [...] Quelle nécessité y avait-il de donner tant de mauvaises qualités à son héros? »

gloire est déchue en très peu d'années! Dans quelle estime n'ont point été, il y a trente ans, les ouvrages de Balzac! on ne parlait pas de lui simplement comme du plus éloquent homme de son siècle, mais comme du seul éloquent. Il a effecti-
90 vement des qualités merveilleuses. On peut dire que jamais personne n'a mieux su sa langue que lui, et n'a mieux entendu la propriété des mots et la juste mesure des périodes; c'est une louange que tout le monde lui donne encore. Mais on s'est aperçu tout d'un coup que l'art où il s'est employé toute sa
95 vie était l'art qu'il savait le moins, je veux dire l'art de faire une lettre; car, bien que les siennes soient toutes pleines d'esprit et de choses admirablement dites, on y remarque partout les deux vices les plus opposés au genre épistolaire, c'est à savoir l'affectation et l'enflure; et on ne peut plus lui pardonner ce
100 soin vicieux qu'il a de dire toutes choses autrement que ne les disent les autres hommes. De sorte que tous les jours on rétorque contre lui ce même vers que Maynard a fait autrefois à sa louange :

Il n'est point de mortel qui parle comme lui.

105 Il y a pourtant encore des gens qui le lisent; mais il n'y a plus personne qui ose imiter son style, ceux qui l'ont fait s'étant rendus la risée de tout le monde.

Mais, pour chercher un exemple encore plus illustre que celui de Balzac, Corneille est celui de tous nos poètes qui a
110 fait le plus d'éclat en notre temps; et on ne croyait pas qu'il pût jamais y avoir en France un poète digne de lui être égalé. Il n'y en a point en effet qui ait eu plus d'élévation de génie*, ni qui ait plus composé. Tout son mérite pourtant, à l'heure qu'il est, ayant été mis par le temps comme dans un creuset,
115 se réduit à huit ou neuf pièces de théâtre qu'on admire, et qui sont, s'il faut ainsi parler, comme le midi de sa poésie, dont l'orient et l'occident n'ont rien valu. Encore dans ce petit nombre de bonnes pièces, outre les défauts de langue qui y sont assez fréquents, on commence à s'apercevoir de beaucoup
120 d'endroits de déclamation qu'on n'y voyait point autrefois. Ainsi, non seulement on ne trouve pas mauvais qu'on lui compare aujourd'hui M. Racine, mais il se trouve même quantité de personnes qui le lui préfèrent. La postérité jugera qui vaut le mieux des deux, car je suis persuadé que les écrits de l'un
125 et de l'autre passeront aux siècles suivants : mais jusque-là ni l'un ni l'autre ne doit être mis en parallèle avec Euripide

et avec Sophocle, puisque leurs ouvrages n'ont point encore le sceau qu'ont les ouvrages d'Euripide et de Sophocle, je veux dire l'approbation de plusieurs siècles.

130 Au reste, il ne faut pas s'imaginer que, dans ce nombre d'écrivains approuvés de tous les siècles, je veuille ici comprendre ces auteurs, à la vérité anciens, mais qui ne se sont acquis qu'une médiocre estime, comme Lycophron[327], Nonnus[328], Silius Italicus, l'auteur des tragédies attribuées à Sénèque[329], 135 et plusieurs autres à qui on peut, non seulement comparer, mais à qui on peut à mon avis, justement préférer beaucoup d'écrivains modernes. Je n'admets dans ce haut rang que ce petit nombre d'écrivains merveilleux dont le nom seul fait l'éloge, comme Homère, Platon, Cicéron, Virgile, etc. Et je 140 ne règle point l'estime que je fais d'eux par le temps qu'il y a que leurs ouvrages durent, mais par le temps qu'il y a qu'on les admire. C'est de quoi il est bon d'avertir beaucoup de gens qui pourraient mal à propos croire ce que veut insinuer notre censeur, qu'on ne loue les anciens que parce qu'ils sont anciens, 145 et qu'on ne blâme les modernes que parce qu'ils sont modernes; ce qui n'est point du tout véritable, y ayant beaucoup d'anciens qu'on n'admire point, et beaucoup de modernes que tout le monde loue. L'antiquité d'un écrivain n'est pas un titre certain de son mérite; mais l'antique et constante admiration 150 qu'on a toujours eue pour ses ouvrages, est une preuve sûre et infaillible qu'on les doit admirer.

---

327. *Lycophron :* poète alexandrin, IIe siècle av. J.-C.; **328.** *Nonnus :* poète grec, Ve siècle apr. J.-C.; *Silvius Italicus :* poète latin, Ier siècle apr. J.-C.; **329.** *Sénèque :* il s'agit en fait de Sénèque « le Philosophe », l'auteur des *Lettres à Lucilius.*

QUESTIONS

■ SUR LA « RÉFLEXION VII ». — A quoi Boileau attribue-t-il le discrédit de Ronsard? Celui de Balzac et de Corneille? Quels principes de l'art classique son explication met-elle en cause? Est-elle suffisante? Qu'est-ce qui lui manque?

— Montrez que la critique tatillonne des *Commentaires sur Corneille* (1764) de Voltaire est déjà en germe dans les jugements de Boileau.

— De quel point de vue Perrault juge-t-il Homère? (Voir la note de la page 99.) Fait-il preuve de plus de sens historique que son adversaire? — Celui-ci prend-il la peine de bien comprendre son point de vue et de le réfuter sérieusement?

— Qu'est-ce qui, selon vous, à propos des remarques sur Ronsard ou Marot, confirme le mieux la justesse de la dernière phrase du troisième paragraphe? — Est-ce seulement une élite de beaux esprits qui constitue le jugement de la postérité?

LETTRE À M. CHARLES PERRAULT, DE L'ACADÉMIE FRANÇAISE

Le 4 août 1694, Boileau et Charles Perrault se réconcilièrent, au moins officiellement, au cours d'une séance de l'Académie. Les deux sexagénaires avaient été poussés par leurs amis à mettre fin à un affrontement qui ne manquait pas d'aspects mesquins ou puérils, et qui risquait de mettre plus souvent en cause leurs personnes que leurs idées. En 1700, Boileau adressa à son ancien adversaire une longue lettre, où il définit sa position en adoptant un ton dans l'ensemble plus conciliant. Ainsi se termina un des épisodes de cette querelle des Anciens et des Modernes qui devait rebondir quelques lustres plus tard avec Mme Dacier, Houdart de La Motte et Fénelon. La *Lettre à Perrault* fut publiée dans l'*Édition favorite* ainsi qu'une lettre d'Antoine Arnauld à Perrault en faveur de la *Satire X.*

[...] Mais maintenant que nous voilà bien remis, et qu'il ne reste plus entre nous aucun levain d'animosité ni d'aigreur, oserais-je, comme votre ami, vous demander ce qui a pu depuis si longtemps vous irriter et vous porter à écrire contre tous les
5 plus célèbres écrivains de l'antiquité? Est-ce le peu de cas qu'il vous a paru que l'on faisait parmi nous des bons auteurs modernes? Mais où avez-vous vu qu'on les méprisât? Dans quel siècle a-t-on plus volontiers applaudi aux bons livres naissants, que dans le nôtre? Quels éloges n'y a-t-on point
10 donnés aux ouvrages de M. Descartes, de M. Arnauld, de M. Nicole et de tant d'autres admirables philosophes et théologiens, que la France a produits depuis soixante ans, et qui sont en si grand nombre qu'on pourrait faire un petit volume de la seule liste de leurs écrits! Mais pour ne nous arrêter ici
15 qu'aux seuls auteurs qui nous touchent vous et moi de plus près, je veux dire aux poètes, quelle gloire ne s'y sont point acquise les Malherbe, les Racan, les Maynard! Avec quels battements de mains n'y a-t-on point reçu les ouvrages de Voiture, de Sarasin[330] et de La Fontaine! Quels honneurs
20 n'a-t-on point, pour ainsi dire, rendus à M. de Corneille et à

---

330. *Sarasin* (Jean-François) [1604-1654] : poète précieux, rival de Voiture.

M. Racine! Et qui est-ce qui n'a point admiré les comédies de Molière? Vous-même, Monsieur, pouvez-vous vous plaindre qu'on n'y ait pas rendu justice à votre *Dialogue de l'amour et de l'amitié*[331], à votre poème *sur la Peinture*, à votre épître
25 sur M. de La Quintinie, et à tant d'autres excellentes pièces de votre façon? On n'y a pas véritablement fort estimé nos poèmes héroïques; mais a-t-on eu tort? et ne confessez-vous pas vous-même, en quelque endroit de vos *Parallèles*, que le meilleur de ces poèmes[332] est si dur et si forcé qu'il n'est pas
30 possible de le lire?

Quel est donc le motif qui vous a tant fait crier contre les anciens? Est-ce la peur qu'on ne se gâtât en les imitant? Mais pouvez-vous nier que ce ne soit au contraire à cette imitation-là même que nos plus grands poètes sont redevables
35 du succès de leurs écrits? Pouvez-vous nier que ce ne soit dans Tite-Live, dans Dion Cassius, dans Plutarque, dans Lucain et dans Sénèque que M. de Corneille a pris ses plus beaux traits, a puisé ses grandes idées qui lui ont fait inventer un nouveau genre de tragédie inconnu à Aristote? Car c'est sur
40 ce pied, à mon avis, qu'on doit regarder quantité de ses plus belles pièces de théâtre, où, se mettant au-dessus des règles de ce philosophe, il n'a point songé, comme les poètes de l'ancienne tragédie, à émouvoir la pitié et la terreur, mais à exciter dans l'âme de ses spectateurs, par la sublimité des pensées et
45 par la beauté des sentiments, une certaine admiration, dont plusieurs personnes, et les jeunes gens surtout, s'accommodent souvent beaucoup mieux que des véritables passions tragiques. Enfin, Monsieur, pour finir cette période un peu longue, et pour ne me point écarter de mon sujet, pouvez-vous ne pas
50 convenir que ce sont Sophocle et Euripide qui ont formé M. Racine? Pouvez-vous ne pas avouer que c'est dans Plaute et dans Térence que Molière a appris les plus grandes finesses de son art?

---

331. *Le Dialogue de l'amour et de l'amitié* fut publié pour la première fois en 1660. Fouquet le fit recopier sur vélin : le poème de la *Peinture* en 1668, *l'Épître sur La Quintinie* en 1690, en tête des *Instructions pour les jardins fruitiers et potagers*, de La Quintinie, intendant des jardins du roi; **332.** Il s'agit de *la Pucelle* de Chapelain. Voici ce qu'en écrivait Perrault au volume III de ses *Parallèles*, Dialogue IV : « [...] ce n'est pas que M. Chapelain n'ait eu bien du mérite à sa manière, mais il se trouve deux obstacles à sa louange bien difficiles à surmonter; l'un la dureté de sa versification et l'autre la prévention où on est contre *la Pucelle* ».

D'où a donc pu venir votre chaleur contre les anciens?
55 Je commence, si je ne m'abuse, à l'apercevoir. Vous avez vraisemblablement rencontré il y a longtemps dans le monde quelques-uns de ces faux savants, tels que le président de vos dialogues, qui ne s'étudient qu'à enrichir leur mémoire, et qui n'ayant d'ailleurs ni esprit, ni jugement, ni goût, n'estiment
60 les anciens que parce qu'ils sont anciens, ne pensent pas que la raison puisse parler une autre langue que la grecque ou la latine, et condamnent d'abord tout ouvrage en langue vulgaire, sur ce fondement seul qu'il est en langue vulgaire[333]. Ces ridicules admirateurs de l'antiquité vous ont révolté contre tout
65 ce que l'antiquité a de plus merveilleux. Vous n'avez pu vous résoudre d'être du sentiment de gens si déraisonnables, dans la chose même où ils avaient raison. Voilà, selon toutes les apparences, ce qui vous a fait faire vos *Parallèles.* Vous vous êtes persuadé qu'avec l'esprit que vous avez et que ces gens-là
70 n'ont point, avec quelques arguments spécieux, vous déconcerteriez aisément la vaine habileté de ces faibles antagonistes; et vous y avez si bien réussi, que, si je ne me fusse mis de la partie, le champ de bataille, s'il faut ainsi parler, vous demeurait; ces faux savants n'ayant pu, et les vrais savants, par une
75 hauteur un peu trop affectée, n'ayant pas daigné vous répondre. Permettez-moi cependant de vous faire ressouvenir que ce n'est point à l'approbation des faux ni des vrais savants que les grands écrivains de l'antiquité doivent leur gloire, mais à la constante et unanime admiration de ce qu'il y a eu dans tous
80 les siècles d'hommes sensés et délicats, entre lesquels on compte plus d'un Alexandre et plus d'un César. Permettez-moi de vous représenter qu'aujourd'hui même encore ce ne sont point, comme vous vous le figurez, les Schrevelius, les Peraredus[334], les Menagius[335], ni, pour me servir des termes de Molière[336],

---

333. « J'espère encore moins à m'acquérir par là de la réputation, puisque je blesse le sentiment de ceux qui la donnent : je veux dire un certain peuple tumultueux de savants qui, entêtés de l'Antiquité, n'estiment que le talent d'entendre bien les vieux auteurs, qui ne se récrient que sur l'explication vraisemblable d'un passage obscur, ou sur la restitution heureuse d'un endroit corrompu; et qui, croyant ne devoir employer leurs lumières qu'à pénétrer dans les ténèbres des livres anciens, regardent comme frivole tout ce qui n'est pas érudition » (Perrault, *Parallèle*, volume premier, Préface); 334. *Cornélius Schrevel* (1615-1664) et *Jean de Peyrarède* (1590-1660) : érudits qui avaient adopté, suivant l'usage de l'époque, une forme latine pour leur nom. Déjà, en 1659, dans sa *Nouvelle allégorique*, Furetière s'en était pris à Peyrarède et à certains grands humanistes; 335. *Ménage* (1613-1692) : érudit dont Molière a fait son Vadius. La bête noire de Gilles et Nicolas Boileau; 336. Voir *les Fâcheux.*

85 les savants en *us*, qui goûtent davantage Homère, Horace, Cicéron, Virgile[337]. Ceux que j'ai toujours vus le plus frappés de la lecture des écrits de ces grands personnages, ce sont des esprits du premier ordre, ce sont des hommes de la plus haute élévation. Que s'il fallait nécessairement vous en citer quelques-
90 uns, je vous étonnerais peut-être par les noms illustres que je mettrais sur le papier; et vous y trouveriez non seulement des Lamoignon[338], des Daguesseau[339], des Troisville[340], mais des Condé, des Conti et des Turenne.

Ne pourrait-on point donc, Monsieur, aussi galant homme[341]
95 que vous l'êtes, vous réunir de sentiment avec tant de si galants hommes? Oui, sans doute, on le peut et nous ne sommes pas même, vous et moi, si éloignés d'opinion que vous pensez. En effet, qu'est-ce que vous avez voulu établir par tant de poèmes, de dialogues et de dissertations sur les anciens et les
100 modernes? Je ne sais si j'ai bien pris votre pensée; mais la voici ce me semble. Votre dessein est de montrer que pour la connaissance surtout des beaux-arts, et pour le mérite des belles-lettres, notre siècle, ou, pour mieux parler, le siècle de Louis le Grand est non seulement comparable mais supérieur
105 à tous les plus fameux siècles de l'Antiquité, et même au siècle d'Auguste. Vous allez donc être bien étonné quand je vous dirai que je suis sur cela entièrement de votre avis, et que même, si mes infirmités et mes emplois[342] m'en laissaient le loisir, je m'offrirais volontiers de prouver, comme vous, cette

---

337. Dans le premier volume des *Parallèles*, Perrault citait Jules César Scaliger comme exemple de savant au jugement indépendant et à l'esprit non prévenu en faveur des Anciens. Il évoquait aussi, à propos de Racan, le jugement des hommes de goût : « LE PRÉSIDENT : Monsieur de Racan avait sans doute de l'esprit et faisait de beaux vers, mais ce n'était pas un homme qui se fût formé le goût par la lecture des bons livres, ni par le commerce des plus savants hommes de son siècle. L'ABBÉ : c'est pour cela que son témoignage, de même que celui des Dames, doit avoir plus de force; en pareille rencontre il faut voir ce que pensent naturellement les personnes de bon goût et de bon esprit, et ce que penseraient aussi tous les savants qui ont du goût, si la prévention ne les avait pas gâtés, car entre M. Racan et le plus profond des critiques, supposé que ce critique ait du sens, je n'y trouve aucune différence lorsqu'il s'agit du jugement d'une épigramme, sinon que ce critique a pu être prévenu et que Monsieur de Racan ne l'était pas »; **338.** *Lamoignon* (Chrétien-François de) : président à mortier depuis 1698, c'est le fils du premier président, mort en 1677. L'*Épître VI* lui est dédiée; **339.** *Daguesseau* (Henry-François) [1668-1751] : procureur général depuis 1696. Un des familiers de Boileau à Auteuil; **340.** *Troisville* (Armand Jean de Peyre, comte de Troisville ou Tréville) [1642-1708] : helléniste et homme d'esprit fort apprécié de son temps. Peut être l'*Arsène* de La Bruyère (*Caractères*, I, 24); **341.** *Galant homme :* honnête homme; **342.** En 1700, Boileau était toujours historiographe du roi, et membre de l'Académie française et de l'Académie des inscriptions et médailles; Perrault, lui, depuis sa disgrâce, avait perdu sa charge de commis des Bâtiments du roi, et avait cessé d'être secrétaire de l'Académie des inscriptions.

110 proposition la plume à la main. A la vérité j'emploierais beaucoup d'autres raisons que les vôtres, car chacun a sa manière de raisonner; et je prendrais des précautions et des mesures[343] que vous n'avez point prises.

Je n'opposerais donc pas, comme vous avez fait, notre 115 nation et notre siècle seuls à toutes les autres nations et à tous les autres siècles joints ensemble. L'entreprise, à mon sens, n'est pas soutenable. J'examinerais chaque nation et chaque siècle l'un après l'autre; et après avoir mûrement pesé en quoi ils sont au-dessus de nous et en quoi nous les surpassons, 120 je suis fort trompé, si je ne prouvais invinciblement que l'avantage est de notre côté.

Ainsi, quand je viendrais au siècle d'Auguste, je commencerais par avouer sincèrement que nous n'avons point de poètes héroïques ni d'orateurs que nous puissions comparer aux 125 Virgile et aux Cicéron; je conviendrais que nos plus habiles historiens sont petits devant les Tite-Live et les Salluste; je passerais condamnation sur la satire et sur l'élégie, quoiqu'il y ait des satires de Régnier admirables, et des élégies de Voiture, de Sarasin, de la comtesse de La Suze[344], d'un agrément 130 infini. Mais en même temps je ferais voir que pour la tragédie, nous sommes beaucoup supérieurs aux Latins, qui ne sauraient opposer à tant d'excellentes pièces tragiques que nous avons en notre langue, que quelques déclamations plus pompeuses que raisonnables d'un prétendu Sénèque, et un peu de bruit 135 qu'ont fait en leur temps le *Thyeste* de Varius et la *Médée*[345] d'Ovide. Je ferais voir que, bien loin qu'ils aient eu dans ce siècle-là des poètes comiques meilleurs que les nôtres, ils n'en ont pas eu un seul dont le nom ait mérité qu'on s'en souvînt, les Plaute, les Cécilius[346] et les Térence étant morts dans le 140 siècle précédent. Je montrerais que si pour l'ode nous n'avons point d'auteurs si parfaits qu'Horace, qui est leur seul poète lyrique, nous en avons néanmoins un assez grand nombre qui ne lui sont guère inférieurs en délicatesse de langue et en justesse d'expression, et dont tous les ouvrages mis ensemble 145 ne feraient peut-être pas dans la balance un poids de mérite moins considérable que les cinq livres d'odes qui nous restent

---

343. *Mesure :* ménagement; **344.** *Henriette de Coligny, comtesse de La Suze* (1618-1673) : précieuse, auteur de *Poésies* publiées en 1666; **345.** Ces deux tragédies ne nous sont pas parvenues; **346.** *Cecilius :* Cecilius Statius (mort en 166 avant J.-C.), écrivain de transition, entre Plaute et Térence, imitateur de Ménandre.

de ce grand poète. Je montrerais qu'il y a des genres de poésie, où non seulement les Latins ne nous ont point surpassés, mais qu'ils n'ont même pas connus; comme, par exemple, ces poèmes 150 en prose que nous appelons *Romans*, et dont nous avons chez nous des modèles qu'on ne saurait trop estimer, à la morale près qui y est fort vicieuse, et qui en rend la lecture dangereuse aux jeunes personnes.

Je soutiendrais hardiment qu'à prendre le siècle d'Auguste 155 dans sa plus grande étendue[347], c'est-à-dire depuis Cicéron jusqu'à Corneille Tacite, on ne saurait pas trouver parmi les Latins un seul philosophe qu'on puisse mettre, pour la physique, en parallèle avec Descartes, ni même avec Gassendi. Je prouverais que pour le grand savoir et la multiplicité des 160 connaissances, leurs Varron et leurs Pline, qui sont leurs plus doctes écrivains, paraîtraient de médiocres savants devant nos Bignon[348], nos Scaliger, nos Saumaise, nos Père Sirmond et nos Père Pétaud. Je triompherais avec vous du peu d'étendue de leurs lumières sur l'astronomie, sur la géographie et sur la 165 navigation. Je les défierais de me citer, à l'exception du seul Vitruve[349], qui est même plutôt un bon docteur d'architecture qu'un excellent architecte, je les défierais, dis-je, de me nommer un seul habile architecte, un seul habile sculpteur, un seul habile peintre latin, ceux qui ont fait du bruit à Rome dans 170 tous ces arts étant des Grecs d'Europe et d'Asie, qui venaient pratiquer chez les Latins des arts que les Latins, pour ainsi dire, ne connaissaient point; au lieu que toute la terre aujourd'hui est pleine de la réputation et des ouvrages de nos Poussin[350], de nos Lebrun, de nos Girardon[351] et de nos Mansart[352].

---

347. Cicéron est mort en 43 av. J.-C.; P. Cornelius Tacitus, le grand historien, né vers 55 apr. J.-C., est mort en 120; **348.** *Bignon* (Jérôme) [1589-1656] : avocat général au parlement, lié à Port-Royal, auteur d'ouvrages philosophiques et politiques. Lui et sa famille furent des amis de Boileau. Les autres personnages cités sont également de grands humanistes; **349.** *Vitruve :* architecte romain du Ier siècle av. J.-C. Son fameux traité *Sur l'architecture* avait été traduit par Claude Perrault; **350.** Le grand Nicolas Poussin était mort à Rome en 1665, et Charles Le Brun, premier peintre du roi et directeur de l'Académie de peinture, en 1690. Ce dernier est l'auteur de quatre *Batailles d'Alexandre* (1673), « la seule épopée réussie de ce siècle », selon un historien contemporain, de la tenture des Gobelins sur l'*Histoire du roi* et des peintures de la galerie des Glaces à Versailles, toutes œuvres à la gloire de Louis XIV; **351.** *Girardon* (François) [1628-1715] : sculpteur, il a peuplé le parc de Versailles de nombreuses statues et de bas-reliefs; **352.** *Mansart* (Jules HARDOUIN) [1646-1708] : il s'agit sans doute, en 1700, du petit-neveu du Mansart (François), cité au chant IV de *l'Art poétique.* Premier architecte du roi, on lui doit, outre le dôme des Invalides et la place Vendôme, la façade du château de Versailles sur la Cour de marbre, le Grand Trianon, la galerie des Glaces, etc.

175 Je pourrais ajouter encore à cela beaucoup d'autres choses mais ce que j'ai dit est suffisant, je crois, pour vous faire entendre comment je me tirerais d'affaire à l'égard du siècle d'Auguste. Que si de la comparaison des gens de lettres et des illustres artisans, il fallait passer à celle des héros et des grands princes, 180 peut-être en sortirais-je avec encore plus de succès. Je suis bien sûr au moins que je ne serais pas fort embarrassé à montrer que l'Auguste des Latins ne l'emporte pas sur l'Auguste des Français.

Par tout ce que je viens de dire, vous voyez, Monsieur, qu'à 185 proprement parler, nous ne sommes point d'avis différent sur l'estime qu'on doit faire de notre nation et de notre siècle; mais que nous sommes différemment de même avis. Aussi n'est-ce point votre sentiment que j'ai attaqué dans vos *Parallèles*, mais la manière hautaine et méprisante dont votre abbé 190 et votre chevalier y traitent des écrivains pour qui, même en les blâmant, on ne saurait, à mon avis, marquer trop d'estime, de respect et d'admiration. Il ne reste donc plus maintenant, pour assurer notre accord et pour étouffer en nous toute semence de dispute, que de nous guérir l'un et l'autre : vous, 195 d'un penchant un peu trop fort à rabaisser les bons écrivains de l'antiquité; et moi d'une inclination un peu trop violente à blâmer les méchants* et même les médiocres[353] auteurs de notre siècle. C'est à quoi nous devons sérieusement nous appliquer; mais quand nous n'en pourrions venir à bout, je 200 vous réponds que de mon côté cela ne troublera point notre réconciliation, et que, pourvu que vous ne me forciez point à lire le *Clovis*[354] ni *la Pucelle*, je vous laisserai tout à votre aise critiquer *l'Iliade* et *l'Énéide*, me contentant de les admirer, sans vous demander pour elles cette espèce de culte tendant à 205 l'adoration que vous vous plaignez en quelqu'un de vos poèmes qu'on veut exiger de vous, et que Stace semble en effet avoir eu pour l'*Énéide*, quand il se dit à lui-même :

Nec tu divinam Æneida tenta;
Sed longe sequere, et vestigia semper adora[355].

---

353. *Médiocre :* qui est d'une qualité moyenne; 354. *Clovis :* épopée de Desmarets; *la Pucelle :* épopée de Chapelain; 355. Stace, *Thébaïde*, liv. XII, vers 816 et 817.

QUESTIONS

Sur la Lettre à Perrault, v. p. 109.

LES HÉROS DE ROMAN

Dialogue à la manière de Lucien.

Le dialogue des *Héros de roman* fut sans doute conçu par Boileau vers 1666 et, si l'on en croit son témoignage, récité par lui à ses amis sans avoir été écrit. Dans une lettre du 27 mars 1704, il confie en effet à Brossette : « La vérité est que l'ayant composé dans ma tête, je le récitai à plusieurs personnes qui en furent frappées et qui en retinrent quantité de bons mots. » Des éditions apocryphes en parurent en 1688 et 1693, qu'il renia. C'est en 1710 que Boileau se décida à en établir le texte — selon lui, à le transcrire — et qu'il écrivit le *Discours* qui le précéda dans l'édition de 1713 où il fut publié pour la première fois. En 1716 Brossette donna de ce *Dialogue* plein de verve, d'après un manuscrit de l'auteur, une version un peu différente et sans doute plus fidèle. C'est de cette version-là que nous extrayons les passages qui suivent.

[Minos, le juge des Enfers, rend compte à Pluton de la harangue en style précieux que vient de lui imposer un jeune avocat. Le maître des Enfers lui répond :]

PLUTON. — Il est vrai que les morts n'ont jamais été si sots qu'aujourd'hui. Il n'est pas venu ici depuis longtemps une ombre qui eût le sens commun; et, sans parler des gens de palais, je ne vois rien de si impertinent[356] que ceux qu'ils
5 nomment gens du monde. Ils parlent tous un certain langage qu'ils appellent galanterie; et quand nous leur témoignons, Proserpine et moi, que cela nous choque, ils nous traitent de

---

356. *Impertinent :* ridicule, extravagant.

QUESTIONS

■ SUR LA « LETTRE À PERRAULT ». — Quels sont les auteurs modernes admirés par Boileau? La postérité a-t-elle ratifié son choix? Quel profit, d'après lui, les Modernes ont-ils retiré de l'imitation des Anciens?

— Quel prix semble-t-il accorder au troisième ressort tragique inventé par Corneille?

— Comment le roman est-il défini?

— Charles Perrault pouvait-il se juger entièrement satisfait par le bilan des Beaux-Arts dressé par Boileau?

— De quel parti celui-ci se range-t-il en raillant les pédants ridicules? Qui décide du goût et du jugement de la postérité? De ce point de vue, rapprochez cette lettre de la *VIIe Réflexion* et de la citation du *Parallèle* en note page 104.

— Boileau tient-il compte des civilisations différentes par son parallèle entre siècle d'Auguste et siècle de Louis XIV? Peut-on vraiment parler d'un « Siècle d'Auguste » qui irait de Cicéron à Tacite?

bourgeois et disent que nous ne sommes pas galants. On m'a assuré même que cette pestilente galanterie avait infecté tous
10 les pays infernaux, et même les champs Élysées; de sorte que les héros et surtout les héroïnes qui les habitent sont aujourd'hui les plus sottes gens du monde, grâce à certains auteurs qui leur ont appris, dit-on, ce beau langage, et qui en ont fait des amoureux transis. A vous dire le vrai, j'ai bien de la peine
15 à le croire. J'ai bien de la peine, dis-je, à m'imaginer que les Cyrus et les Alexandre soient devenus tout à coup, comme on me le veut faire entendre, des Thyrsis[357] et des Céladons[358]. Pour m'en éclaircir donc moi-même par mes propres yeux, j'ai donné ordre qu'on fît venir ici aujourd'hui des champs
20 Élysées, et de toutes les autres régions de l'enfer, les plus célèbres d'entre ces héros; et j'ai fait préparer pour les recevoir ce grand salon, où vous voyez que sont postés mes gardes. Mais où est Rhadamante? [...]

[L'idée de Pluton se révèle d'autant plus heureuse que Rhadamante vient lui annoncer une révolte des criminels du Tartare : les héros convoqués pourront peut-être lui prêter main-forte pour mater la rébellion. Le premier de ces héros s'approche. Diogène le présente au maître des Enfers. Il s'agit de Cyrus :]

PLUTON. — Quoi! ce grand roi qui transféra l'empire des
25 Mèdes aux Perses, qui a tant gagné de batailles? De son temps les hommes venaient ici tous les jours par trente et quarante mille. Jamais personne n'y en a tant envoyé.

DIOGÈNE. — Au moins ne l'allez pas appeler Cyrus.

PLUTON. — Pourquoi?

30 DIOGÈNE. — Ce n'est plus son nom. Il s'appelle maintenant Artamène.

PLUTON. — Artamène! et où a-t-il pêché ce nom-là[359]? Je ne me souviens point de l'avoir jamais lu.

DIOGÈNE. — Je vois bien que vous ne savez pas son histoire.

35 PLUTON. — Qui? moi? Je sais aussi bien mon Hérodote qu'un autre.

DIOGÈNE. — Oui; mais, avec tout cela, diriez-vous bien pourquoi Cyrus a tant conquis de provinces, traversé l'Asie, la

---

357. *Thyrsis :* nom de personnages de pastorales; 358. *Céladon :* berger, héros de *l'Astrée* d'Honoré d'Urfé; 359. C'est le roman de Madeleine de Scudéry (voir l'Index), *Artamène ou le Grand Cyrus* (1649-1653), qui est visé.

Médie, l'Hyrcanie, la Perse, et ravagé enfin plus de la moitié
40 du monde?

PLUTON. — Belle demande! c'est que c'était un prince ambitieux, qui voulait que toute la terre lui fût soumise.

DIOGÈNE. — Point du tout. C'est qu'il voulait délivrer sa princesse, qui avait été enlevée.

45 PLUTON. — Quelle princesse?

DIOGÈNE. — Mandane.

PLUTON. — Mandane?

DIOGÈNE. — Oui, et savez-vous combien elle a été enlevée de fois?

50 PLUTON. — Où veux-tu que je l'aille chercher?

DIOGÈNE. — Huit fois.

MINOS. — Voilà une beauté qui a passé par bien des mains.

DIOGÈNE. — Cela est vrai; mais tous ses ravisseurs étaient les scélérats du monde les plus vertueux. Assurément ils n'ont
55 pas osé lui toucher.

PLUTON. — J'en doute. Mais laissons là ce fou de Diogène. Il faut parler à Cyrus lui-même. Eh bien, Cyrus, il faut combattre. Je vous ai envoyé chercher pour vous donner le commandement de mes troupes. Il ne répond rien! Qu'a-t-il? Vous
60 diriez qu'il ne sait où il est.

PLUTON. — Quoi?

CYRUS. — Ah! injuste Mandane!

PLUTON. — Plaît-il?

CYRUS. — Tu me flattes[360], trop complaisant Féraulas. Es-tu
65 si peu sage que de penser que Mandane, l'illustre Mandane, puisse jamais tourner les yeux sur l'infortuné Artamène? Aimons-la, toutefois, mais aimerons-nous une cruelle? servirons-nous une insensible? adorerons-nous une inexorable? Oui, Cyrus, il faut aimer une cruelle. Oui, Artamène, il faut servir
70 une insensible. Oui, fils de Cambyse, il faut adorer l'inexorable fille de Cyaxare[361]. [...]

[Cyrus n'est décidément qu'un « grand pleureur ». Pluton le chasse sans ménagements. L'arrivée de Thomyris, la sauvage reine des

---

360. *Flatter :* bercer d'illusions; **361.** « Affectation du style de *Cyrus* » (note de Boileau).

Massagètes, est l'occasion pour Boileau de railler la tragédie de Quinault, *Cyrus* (1656), dont le sujet avait été emprunté au roman de Mlle de Scudéry. Horatius Coclès lui succède :]

Mais quelle est cette voix robuste que j'entends là-bas qui fredonne un air?

DIOGÈNE. — C'est ce grand borgne[362] d'Horatius Coclès qui
75 chante ici proche, comme m'a dit un de vos gardes, à un écho qu'il a trouvé, une chanson qu'il a faite pour Clélie.

PLUTON. — Qu'a donc ce fou de Minos, qu'il crève de rire?

MINOS. — Et qui ne rirait? Horatius Coclès chantant à l'écho!

PLUTON. — Il est vrai que la chose est assez nouvelle. Cela
80 est à voir. Qu'on le fasse entrer, et qu'il n'interrompe point pour cela sa chanson, que Minos vraisemblablement sera bien aise d'entendre de plus près.

MINOS. — Assurément.

HORATIUS COCLÈS, *chantant la reprise de la chanson qu'il chante*
85 *dans « Clélie ».*

« Et Phénisse même publie
Qu'il n'est rien si beau que Clélie[363]. »

DIOGÈNE. — Je pense reconnaître l'air. C'est sur le chant de *Toinon la belle jardinière*[364].

90 Ce n'était pas de l'eau de rose,
Mais de l'eau de quelque autre chose.

HORATIUS COCLÈS.

« Et Phénisse même publie
Qu'il n'est rien si beau que Clélie. »

95 PLUTON. — Quelle est donc cette Phénisse?

DIOGÈNE. — C'est une dame des plus galantes[365] et des plus spirituelles de la ville de Capoue, mais qui a une trop grande opinion de sa beauté, et qu'Horatius Coclès raille dans cet impromptu de sa façon, dont il a composé aussi le chant, en
100 lui faisant avouer à elle-même que tout cède en beauté à Clélie.

MINOS. — Je n'eusse jamais cru que cet illustre Romain fût

---

362. *Borgne.* Cocles, surnom latin, signifie « le borgne ». Mlle de Scudéry avait fait d'Horatius Cocles, héros légendaire de l'histoire romaine, un personnage de son autre grand roman en dix volumes, *Clélie ou l'Histoire romaine* (1654-1660); **363.** Vers chantés à l'Écho par Horace dans *Clélie* (tome premier); **364.** « Chanson du Savoyard, alors à la mode » (note de Boileau). Philippot l'Aveugle, dit le Savoyard, est l'auteur de recueils de chansons publiés de 1656 à 1665; **365.** *Galant :* élégant, distingué, raffiné.

si excellent musicien et si habile faiseur d'impromptus. Cependant je vois bien par celui-ci qu'il y est maître passé.

PLUTON. — Et moi, je vois bien que, pour s'amuser à de 105 semblables petitesses, il faut qu'il ait entièrement perdu le sens. Hé! Horatius Coclès, vous qui étiez autrefois si déterminé soldat, et qui avez défendu vous seul un pont contre toute une armée[366], de quoi vous êtes-vous avisé de vous faire berger après votre mort? et qui est le fou ou la folle qui vous ont 110 appris à chanter?

HORATIUS COCLÈS.

> « Et Phénisse même publie
> Qu'il n'est rien si beau que Clélie. »

MINOS. — Il se ravit dans son chant.

115 PLUTON. — Oh! qu'il s'en aille dans mes galeries chercher, s'il veut, un nouvel écho. Qu'on l'emmène!

HORATIUS COCLÈS, *s'en allant et toujours chantant.*

> « Et Phénisse même publie
> Qu'il n'est rien si beau que Clélie. »

120 PLUTON. — Le fou! le fou! Ne viendra-t-il point à la fin une personne raisonnable?

DIOGÈNE. — Vous allez avoir bien de la satisfaction; car je vois entrer la plus illustre de toutes les dames romaines, cette Clélie qui passa le Tibre à la nage, pour se dérober du camp 125 de Porsenna, et dont Horatius Coclès, comme vous venez de le voir, est amoureux.

PLUTON. — J'ai cent fois admiré l'audace de cette fille dans Tite-Live; mais je meurs de peur que Tite-Live n'ait encore menti. Qu'en dis-tu, Diogène?

130 DIOGÈNE. — Écoutez ce qu'elle vous va dire.

CLÉLIE. — Est-il vrai, sage roi des enfers, qu'une troupe de mutins ait osé se soulever contre Pluton, le vertueux Pluton?

PLUTON. — Ah! à la fin nous avons trouvé une personne raisonnable! Oui, ma fille, il est vrai que les criminels dans le 135 Tartare ont pris les armes, et que nous avons envoyé chercher les héros dans les champs Élysées et ailleurs pour nous secourir.

366. Voir Tite-Live, *Histoire romaine* (liv. II, chap. x).

CLÉLIE. — Mais, de grâce, seigneur, les rebelles ne songent-ils point à exciter quelque trouble dans le royaume de Tendre[367]? car je serais au désespoir s'ils étaient seulement postés dans 140 le village de Petits-Soins. N'ont-ils point pris Billets-Doux ou Billets-Galants?

PLUTON. — De quel pays parle-t-elle là? Je ne me souviens point de l'avoir vu dans la carte.

DIOGÈNE. — Il est vrai que Ptolomée[368] n'en a point parlé : 145 mais on a fait depuis peu de nouvelles découvertes. Et puis ne voyez-vous pas que c'est du pays de galanterie qu'elle vous parle?

PLUTON. — C'est un pays que je ne connais point.

CLÉLIE. — En effet, l'illustre Diogène raisonne tout à fait 150 juste. Car il y a trois sortes de Tendre : Tendre sur Estime, Tendre sur Inclination et Tendre sur Reconnaissance. Lorsque l'on veut arriver à Tendre sur Estime, il faut aller d'abord au village de Petits-Soins, et...

PLUTON. — Je vois bien, la belle fille, que vous savez parfai- 155 tement la géographie du royaume de Tendre, et qu'à un homme qui vous aimera, vous ferez voir bien du pays dans ce royaume. Mais pour moi, qui ne le connais point, et qui ne le veux point connaître, je vous dirai franchement que je ne sais si ces trois villages et ces trois fleuves mènent à Tendre, mais qu'il me 160 paraît que c'est le grand chemin des Petites-Maisons[369].

MINOS. — Ce ne serait pas trop mal fait, non, d'ajouter ce village-là dans la carte de Tendre. Je crois que ce sont ces terres inconnues dont on y veut parler.

PLUTON. — Mais vous, tendre mignonne, vous êtes donc 165 aussi amoureuse, à ce que je vois?

CLÉLIE. — Oui, seigneur; je vous concède que j'ai pour Aronce une amitié qui tient de l'amour véritable : aussi faut-il avouer que cet admirable fils du roi de Clusium[370] a en toute sa personne je ne sais quoi de si extraordinaire et de si peu 170 imaginable, qu'à moins que d'avoir une dureté de cœur inconcevable, on ne peut pas s'empêcher d'avoir pour lui une passion tout à fait raisonnable. Car enfin...

---

367. Allusion à la fameuse « Carte de Tendre » qui illustre le tome premier de *Clélie;* **368.** *Ptolémée :* astronome et géographe grec du IIe siècle apr. J.-C.; **369.** *Petites-Maisons :* hôpital du faubourg Saint-Germain, dépendant de l'abbaye de Saint-Germain-des-Prés, où l'on enfermait les aliénés dans de petites cellules; **370.** *Clusium :* nom ancien de Chiusi, en Toscane, jadis puissante cité étrusque.

PLUTON. — Car enfin, car enfin... Je vous dis, moi, que j'ai pour toutes les folles une aversion inexplicable; et que quand
175 le fils du roi de Clusium aurait un charme inimaginable, avec votre langage inconcevable, vous me feriez plaisir de vous en aller, vous et votre galant, au diable. A la fin la voilà partie! Quoi! toujours des amoureux! Personne ne s'en sauvera; et un de ces jours nous verrons Lucrèce galante[371].

[Lucrèce se présente précisément à ce moment. Mais elle n'a en effet rien de l'héroïne farouche de la tradition, pas plus que Brutus « esprit naturellement tendre et passionné », qui aime Lucrèce et en est aimé et s'amuse devant Pluton à déchiffrer des énigmes amoureuses tirées de la *Clélie*. Sapho leur succède. On sait que Madeleine de Scudéry aimait à se présenter sous ce nom. Diogène et Pluton ne sont pas trop galants dans les remarques qu'ils font sur sa personne. Il est vrai que Boileau emprunte les éléments de sa présentation au portrait que Sapho-Madeleine de Scudéry a tracé d'elle-même dans *le Grand Cyrus*.]

180 DIOGÈNE. — C'est Sapho[372], cette fameuse Lesbienne qui a inventé les vers saphiques.

PLUTON. — On me l'avait dépeinte si belle. Je la trouve bien laide!

DIOGÈNE. — Il est vrai qu'elle n'a pas le teint fort uni[373],
185 ni les traits du monde les plus réguliers : mais prenez garde qu'il y a une grande opposition du blanc et du noir de ses yeux, comme elle le dit elle-même dans l'histoire de sa vie[374].

PLUTON. — Elle se donne là un bizarre agrément; et Cerbère, selon elle, doit donc passer aussi pour beau, puisqu'il a dans
190 les yeux la même opposition.

DIOGÈNE. — Je vois qu'elle vient à vous. Elle a sûrement quelque question à vous faire.

SAPHO. — Je vous supplie, sage Pluton, de m'expliquer fort

---

371. *Galante :* ici, qui recherche les aventures amoureuses; **372.** *Sapho :* née à Lesbos ou à Mytilène, cette poétesse grecque vécut au VIe siècle av. J.-C. On lui attribue l'invention de vers de onze syllabes, dits « vers saphiques »; **373.** « Il ne faut pourtant pas vous imaginer que sa beauté soit une de ces grandes beautés en qui l'envie même ne saurait trouver aucun défaut; mais il faut néanmoins que vous compreniez qu'encore que la science ne soit pas de celles que je dis, elle est pourtant capable d'inspirer de plus grandes passions que les plus grandes beautés de la terre [...]. Pour le teint, elle ne l'a pas de la dernière blancheur; il a toutefois un si bel éclat qu'on peut dire qu'elle l'a beau » (*Cyrus*, t. X); **374.** « Ce qui fait leur plus grand éclat, c'est que jamais il n'y a eu une opposition plus grande que celle du blanc et du noir de ses yeux. Cependant cette opposition n'y cause nulle rudesse » (*Cyrus*, t. X).

au long ce que vous pensez de l'amitié, et si vous croyez qu'elle
195 soit capable de tendresse aussi bien que l'amour; car ce fut le sujet d'une généreuse conversation que nous eûmes l'autre jour avec le sage Démocrède et l'agréable Phaon. De grâce, oubliez donc pour quelque temps le soin de votre personne et de votre état; et, au lieu de cela, songez à me bien définir ce
200 que c'est que cœur tendre, tendresse d'amitié, tendresse d'amour, tendresse d'inclination et tendresse de passion.

MINOS. — Oh! celle-ci est la plus folle de toutes. Elle a la mine d'avoir gâté toutes les autres.

PLUTON. — Mais regardez cette impertinente[375]! c'est bien
205 le temps de résoudre des questions d'amour, que le jour d'une révolte!

DIOGÈNE. — Vous avez pourtant autorité pour le faire; et tous les jours les héros que vous venez de voir, sur le point de donner une bataille où il s'agit du tout pour eux, au lieu
210 d'employer le temps à encourager les soldats et à ranger leurs armées, s'occupent à entendre l'histoire de Timarète ou de Bérélise, dont la plus haute aventure est quelquefois un billet perdu ou un bracelet égaré.

PLUTON. — Ho bien, s'ils sont fous, je ne veux pas leur
215 ressembler, et principalement à cette précieuse ridicule.

SAPHO. — Eh! de grâce, seigneur, défaites-vous de cet air grossier et provincial de l'enfer, et songez à prendre l'air de la belle galanterie de Carthage et de Capoue. A vous dire vrai, pour décider un point aussi important que celui que je vous
220 propose, je souhaiterais fort que toutes nos généreuses amies et nos illustres amis fussent ici. Mais, en leur absence, le sage Minos représentera le discret Phaon, et l'enjoué Diogène le galant Ésope.

PLUTON. — Attends, attends, je m'en vais te faire venir ici
225 une personne avec qui lier conversation. Qu'on m'appelle Tisiphone[376].

SAPHO. — Qui? Tisiphone? Je la connais, et vous ne serez peut-être pas fâché que je vous en fasse voir le portrait, que j'ai déjà composé par précaution, dans le dessein où je suis
230 de l'insérer dans quelqu'une des histoires que nous autres

---

375. *Impertinent :* qui agit mal à propos, ici; **376.** *Tisiphone :* une des Érinyes, ou Furies, qui, avec Alecto et Mégère, vivait dans le Tartare et était chargée de punir les crimes des humains.

faiseurs et faiseuses de romans sommes obligés de raconter à chaque livre de notre roman.

PLUTON. — Le portrait d'une furie! Voilà un étrange projet.

DIOGÈNE. — Il n'est pas si étrange que vous pensez. En 235 effet, cette même Sapho, que vous voyez, a peint dans ses ouvrages beaucoup de ses généreuses amies, qui ne surpassent guère en beauté Tisiphone, et qui néanmoins, à la faveur des mots galants et des façons de parler élégantes et précieuses qu'elle jette dans leurs peintures, ne laissent pas de passer 240 pour de dignes héroïnes de roman.

MINOS. — Je ne sais si c'est curiosité ou folie; mais je vous avoue que je meurs d'envie de voir un si bizarre portrait.

PLUTON. — Hé bien donc, qu'elle vous le montre, j'y consens. Il faut bien vous contenter. Nous allons voir comment elle 245 s'y prendra pour rendre la plus effroyable des Euménides agréable et gracieuse.

DIOGÈNE. — Ce n'est pas une affaire pour elle, et elle a déjà fait un pareil chef-d'œuvre en peignant la vertueuse Arricidie[377]. Écoutons donc; car je la vois qui tire le portrait de 250 sa poche.

SAPHO, *lisant*. — L'illustre fille dont j'ai à vous entretenir a en toute sa personne je ne sais quoi de si furieusement extraordinaire et de si terriblement merveilleux, que je ne suis pas médiocrement embarrassée quand je songe à vous en tracer 255 le portrait.

MINOS. — Voilà les adverbes FURIEUSEMENT et TERRIBLEMENT qui sont, à mon avis, bien placés et tout à fait en leur lieu.

SAPHO, *continue de lire*. — Tisiphone a naturellement la taille fort haute, et passant de beaucoup la mesure des per- 260 sonnes de son sexe; mais pourtant si dégagée, si libre et si bien proportionnée en toutes ses parties, que son énormité même lui sied admirablement bien. Elle a les yeux petits, mais pleins de feu, vifs, perçants et bordés d'un certain vermillon qui en relève prodigieusement l'éclat. Ses cheveux sont naturellement 265 bouclés et annelés, et l'on peut dire que ce sont autant de serpents qui s'entortillent les uns dans les autres et se jouent nonchalamment autour de son visage. Son teint n'a point cette couleur fade et blanchâtre des femmes de Scythie[378],

---

377. *Arricidie* : son portrait se trouve en effet au tome premier de *Clélie;*
378. *Scythie* : région habitée jadis par les Scythes, au nord de la mer Noire.

mais il tient beaucoup de ce brun mâle et noble que donne
270 le soleil aux Africaines qu'il favorise le plus près de ses regards.
Son sein est composé de deux demi-globes brûlés par le bout
comme ceux des Amazones, et qui, s'éloignant le plus qu'ils
peuvent de sa gorge, se vont négligemment et languissamment
perdre sous ses deux bras. Tout le reste de son corps est presque
275 composé de la même sorte. Sa démarche est extrêmement noble
et fière. Quand il faut se hâter, elle vole plutôt qu'elle ne marche,
et je doute qu'Atalante la pût devancer à la course. Au reste,
cette vertueuse fille est naturellement ennemie du vice et surtout des grands crimes, qu'elle poursuit partout, un flambeau
280 à la main, et qu'elle ne laisse jamais en repos, secondée en cela
par ses deux illustres sœurs, Alecto et Mégère, qui n'en sont
pas moins ennemies qu'elle; et l'on peut dire de toutes ces
trois sœurs que c'est une morale vivante[379].

DIOGÈNE. — Hé bien, n'est-ce pas là un portrait merveilleux?

285 PLUTON. — Sans doute, et la laideur y est peinte dans toute
sa perfection, pour ne pas dire dans toute sa beauté; [...]

[Après Sapho, c'est au tour d'Astrate et d'Ostorius d'être raillés, et, à travers eux, les tragédies homonymes de Quinault et de l'abbé de Pure. Puis vient Jeanne d'Arc, qui s'exprime, par les vers de *la Pucelle* de Chapelain, en une langue si rude que Pluton s'interroge :]

PLUTON. — Quelle langue vient-elle de parler?

DIOGÈNE. — Belle demande! française.

PLUTON. — Quoi! c'est du français qu'elle a dit? je croyais
290 que ce fût du bas-breton ou de l'allemand. Qui lui a appris
cet étrange français-là?

DIOGÈNE. — C'est un poète chez qui elle a été en pension
quarante ans durant[380].

PLUTON. — Voilà un poète qui l'a bien mal élevée!

295 DIOGÈNE. — Ce n'est pas manque d'avoir été bien payé et
d'avoir exactement touché ses pensions[381].

PLUTON. — Voilà de l'argent bien mal employé. Eh! Pucelle

---

379. « Elle blâme les coquettes, elle ne flatte point les galants, elle dit agréablement son avis de celles qui font les belles quand elles ne peuvent plus être [...]. Arricidie est la morale vivante, mais une morale sans chagrin et qui croit que l'enjouement et l'innocente raillerie ne sont pas inutiles à la vertu » (portrait d'Arricidie, *Clélie*, tome premier); **380.** Chapelain avait commencé de composer son poème héroïque *la Pucelle ou la France héroïque* vers 1630. Les premiers chants n'en furent publiés qu'en 1656; **381.** Voir l'Index à Chapelain.

d'Orléans, pourquoi vous êtes-vous chargé la mémoire de ces grands vilains mots, vous qui ne songiez autrefois qu'à délivrer
300 votre patrie, et qui n'aviez d'objet que la gloire?

LA PUCELLE. — La gloire?

« Un seul endroit y mène, et de ce seul endroit
Droite et roide... »

PLUTON. — Ah! elle m'écorche les oreilles.

305 LA PUCELLE.

« Droite et roide est la côte et le sentier étroit. »

PLUTON. — Quels vers, juste ciel! je n'en puis pas entendre prononcer un que ma tête ne soit prête à se fendre.

LA PUCELLE.

« De flèches toutefois aucune ne l'atteint;
310 Ou pourtant l'atteignant, de son sang ne se teint[382]. »

PLUTON. — Encore! j'avoue que de toutes les héroïnes qui ont paru en ce lieu, celle-ci me paraît beaucoup la plus insupportable. Vraiment, elle ne prêche pas la tendresse. Tout en
315 elle n'est que dureté et sécheresse, et elle me paraît plus propre à glacer l'âme qu'à inspirer l'amour.

DIOGÈNE. — Elle en a pourtant inspiré au vaillant Dunois.

PLUTON. — Elle! inspirer de l'amour au cœur de Dunois!

DIOGÈNE. — Oui, assurément :

Au grand cœur de Dunois, le plus grand de la terre,
320 Grand cœur qui dans lui seul deux grands amours enserre[383].

Mais il faut savoir quel amour. Dunois s'en explique ainsi lui-même en un endroit du poème fait pour cette merveilleuse fille :

Pour ces célestes yeux, pour ce front magnanime,
325 Je n'ai que du respect, je n'ai que de l'estime;
Je n'en souhaite rien; et si j'en suis amant,
D'un amour sans désir je l'aime seulement.
Et soit. Consumons-nous d'une flamme si belle :
330 Brûlons en holocauste aux yeux de la Pucelle[384].

---

382. Vers tirés du chant VII de *la Pucelle;* les précédents le sont du chant V; **383.** « Ô grand cœur de Dunois, le plus grand de la Terre! Qui sans peine en lui seul deux grands amours enserre! » (ch. IV); **384.** Comme pour les vers précédents, Boileau ne cite pas exactement le texte de Chapelain : il compose un centon à partir de vers ou même de simples expressions de *la Pucelle*. Faisant allusion à une épigramme de Boileau composée selon le même principe, Ch. Perrault écrit dans ses *Parallèles* (vol. III) : « J'oserais dire qu'il n'y a pas de justice à condamner un grand poème sur quatre vers de pièces rapportées et cousues ensemble malicieusement : il n'y a point d'ouvrage qu'on ne rende ridicule en lui faisant le même mauvais tour! »

Ne voilà-t-il pas une passion bien exprimée? et le mot d'holocauste n'est-il pas tout à fait bien placé dans la bouche d'un guerrier comme Dunois? [...]

[Paraissent enfin Faramond, le héros du roman de La Calprenède, puis Mercure, qui vient annoncer à Pluton la fin de la rébellion du Tartare. Celui-ci lui fait part de sa perplexité :]

PLUTON. — Divin messager de Jupiter, vous m'avez rendu
335 la vie. Mais, au nom de notre proche parenté, dites-moi, vous qui êtes le dieu de l'éloquence, comment vous avez souffert qu'il se soit glissé dans l'un et dans l'autre monde une si impertinente manière de parler que celle qui règne aujourd'hui, surtout en ces livres qu'on appelle romans : et comment vous
340 avez permis que les plus grands héros de l'antiquité parlassent ce langage.

MERCURE. — Hélas! Apollon et moi, nous sommes des dieux qu'on n'invoque presque plus : et la plupart des écrivains d'aujourd'hui ne connaissent pour leur véritable patron qu'un
345 certain Phébus[385], qui est bien le plus impertinent personnage qu'on puisse voir. Du reste, je viens vous avertir qu'on vous a joué une pièce.

PLUTON. — Une pièce[386] à moi! Comment?

MERCURE. — Vous croyez que les vrais héros sont venus ici?

350 PLUTON. — Assurément, je le crois, et j'en ai de bonnes preuves, puisque je les tiens encore ici tous renfermés dans les galeries de mon palais.

MERCURE. — Vous sortirez d'erreur, quand je vous dirai que c'est une troupe de faquins, ou plutôt de fantômes chimé-
355 riques, qui, n'étant que de fades copies de beaucoup de personnages modernes, ont eu pourtant l'audace de prendre le nom des plus grands héros de l'antiquité, mais dont la vie a été fort courte, et qui errent maintenant sur les bords du Cocyte et du Styx. Je m'étonne que vous y ayez été trompé. Ne voyez-
360 vous pas que ces gens-là n'ont nul caractère des héros? Tout ce qui les soutient aux yeux des hommes, c'est un certain oripeau[387] et un faux clinquant de paroles, dont les ont habillés ceux qui ont écrit leur vie, et qu'il n'y a qu'à leur ôter pour

---

385. *Phébus :* langage obscur et prétentieux. C'est aussi un des noms d'Apollon; **386.** *Pièce :* farce, tour; **387.** *Oripeau :* étoffe ou broderie ornée de faux or ou de faux argent.

« Illuminations à Versailles autour du Grand Canal », par Jean Le Pautre.

Paris, Bibliothèque nationale.

Phot. Larousse.

les faire paraître tels qu'ils sont. J'ai même amené des champs
365 Élysées, en venant ici, un Français, pour les reconnaître quand ils seront dépouillés; car je me persuade que vous consentirez sans peine qu'ils le soient.

[Finalement, Pluton ordonne à ses milices infernales de dépouiller les prétendus héros. Un Français, que les éditions apocryphes avaient désigné sous le nom de Scarron, s'approche alors :]

MERCURE. — Tiens, regarde bien tous ces gens-là; les connais-tu?

370 LE FRANÇAIS. — Si je les connais? Hé! ce sont tous la plupart des bourgeois de mon quartier. Bonjour, madame Lucrèce. Bonjour, monsieur Brutus. Bonjour, mademoiselle Clélie. Bonjour, monsieur Horatius Coclès.

PLUTON. — Tu vas voir accommoder tes bourgeois de toutes
375 pièces. Allons, qu'on ne les épargne point, et qu'après qu'ils auront été abondamment fustigés, on me les conduise tous, sans différer, droit aux bords du fleuve de Léthé[388]; puis, lorsqu'ils y seront arrivés, qu'on me les jette tous, la tête la première, dans l'endroit du fleuve le plus profond, eux, leurs billets doux,
380 leurs lettres galantes, leurs vers passionnés, avec tous les nombreux volumes, ou, pour mieux dire, les monceaux de ridicule papier où sont écrites leurs histoires. Marchez donc, faquins, autrefois si grands héros. Vous voilà arrivés à votre fin, ou, pour mieux dire, au dernier acte de la comédie que vous avez
385 jouée si peu de temps[389]. [...]

---

388. *Léthé :* le fleuve d'oubli; **389.** Voir dans *les Précieuses ridicules* (1659), de Molière, la tirade de Gorgibus à ses filles, à la scène XVII : « Allez vous cacher, vilaines, allez vous cacher pour jamais. Et vous, qui êtes cause de leur folie, sottes billevesées, pernicieux amusements des esprits oisifs, romans, vers, chansons, sonnets, et sonnettes, puissiez-vous être à tous les diables. »

QUESTIONS

■ SUR « LE DIALOGUE ». — Énumérez et classez les œuvres et les personnages évoqués par Boileau. Les railleries portent-elles uniquement sur les romans? — Quels sont, aux yeux du satirique, les défauts communs à toutes ces œuvres et à tous ces personnages?

— En quoi Mlle de Scudéry a-t-elle contrevenu à la vraisemblance et aux bienséances internes par la peinture des personnages de Cyrus, Horatius Coclès et Clélie? — Quel reproche lui est-il adressé à propos de ses portraits? Au nom de quel principe? — Vous semble-t-il que Boileau ait bien rendu justice à la personne et à l'œuvre de Madeleine de Scudéry? (Suite, v. p. 123.)

DEUX LETTRES DE BOILEAU

D'assez nombreuses lettres de Boileau ont été conservées, qui datent généralement de sa vieillesse. Elles nous permettent de mieux saisir sa personnalité, et l'on y trouve parfois quelques précisions sur son œuvre. Nous avons cité en notes des extraits de sa correspondance avec Racine et avec Brossette. Parmi les lettres adressées à des correspondants divers, deux nous ont paru mériter de figurer à la suite des œuvres critiques de Boileau pour les idées qu'il y exprime sur la poésie et sur le théâtre : la lettre à Maucroix et celle à M. de Losme de Montchesnay.

LETTRE À MAUCROIX

François de Maucroix, chanoine de Reims, fut un ami intime de La Fontaine. Il écrivit des poésies, dont quelques-unes fort salaces, et publia des traductions. La longue lettre de Boileau, dont nous citons des passages, est datée d'Auteuil, du 29 avril 1695. Elle fut publiée dans les *Œuvres posthumes* de Maucroix en 1710, puis dans les *Œuvres complètes* de Boileau en 1713.

Les choses hors de créance qu'on m'a dites de M. de La Fontaine sont à peu près celles que vous avez devinées. Je veux dire que ce sont ces haires, ces cilices et ces disciplines dont on m'a assuré qu'il usait fort fréquemment et qui m'ont paru
5 d'autant plus incroyables de notre défunt ami[390] que jamais rien à mon avis ne fut plus éloigné de son caractère que ces mortifications. Mais quoi, la grâce de Dieu ne se borne pas aux simples changements et c'est quelquefois de véritables métamorphoses qu'Elle fait. Elle ne paraît pas s'être répandue de
10 la même sorte sur le pauvre M. Cassandre[391], qui est mort tel qu'il a vécu, c'est à savoir très misanthrope et non seulement haïssant les hommes mais ayant même assez de peine à se réconcilier avec Dieu à qui, disait-il en mourant, si le

390. La Fontaine mourut le 13 avril 1695; 391. Cassandre est ce poète qui, selon certains, aurait été évoqué par Boileau dans sa *Satire première*. Il venait de mourir en 1695.

QUESTIONS

(Suite.) — Quels sont les genres et les manies des précieux visés tout au long du *Dialogue?* Analysez avec précision les critiques portées au style de Mlle de Scudéry et de Chapelain et les procédés satiriques de Boileau.

— Quel devrait être, d'après lui, le caractère d'un vrai héros de roman? Pourquoi est-ce un *Français* qui paraît à la fin du *Dialogue?*

rapport qu'on m'a fait est véritable, il n'avait nulle obligation.
15 Qui eût cru que de ces deux hommes c'était M. de La Fontaine qui était le vase d'élection? Voilà; Monsieur, de quoi bien augmenter les réflexions sages et chrétiennes que vous me faites dans votre lettre et qui me paraissent partir d'un cœur sincèrement persuadé de ce qu'il dit. Pour venir à vos ouvrages,
20 j'ai déjà commencé à conférer le *Dialogue des orateurs* avec le latin. [...]

[Boileau, ici, fait une brève objection à un passage de la traduction du *Dialogue des orateurs* de Tacite, que Maucroix lui a soumise. Puis, après quelques remarques sur le poète Godeau, il continue :]

Il n'en est pas ainsi de Malherbe qui croît de réputation à mesure qu'il s'éloigne de son siècle. La vérité est pourtant, et c'était le sentiment de notre cher ami Patru, que la Nature ne
25 l'avait pas fait grand poète, mais il corrige ce défaut par son esprit et par son travail. Car personne n'a plus travaillé ses ouvrages, comme il paraît assez par le petit nombre de pièces qu'il a faites et notre langue veut être extrêmement travaillée. Racan avait plus de génie que lui mais il est plus négligé et
30 songe trop à le copier. Il excelle surtout, à mon avis, à dire les petites choses et c'est en quoi il ressemble mieux aux Anciens que j'admire surtout par cet endroit. Plus les choses sont sèches et malaisées à dire en vers, plus elles frappent quand elles sont dites noblement et avec cette élégance qui fait proprement la
35 poésie. Je me souviens que M. de La Fontaine m'a dit plus d'une fois que les deux vers de mes ouvrages qu'il estimait davantage, c'était ceux où je loue le Roi d'avoir établi la manufacture des points de France à la place des points de Venise. Les voici. C'est dans la Première Épître à Sa Majesté[392] :

40 « Et nos voisins frustrés de ces tributs serviles
Que payait à leur art le luxe de nos villes. »

Virgile et Horace sont divins en cela, aussi bien qu'Homère. C'est tout le contraire de nos poètes qui ne disent que des choses vagues que d'autres ont déjà dites avant eux et dont
45 les expressions sont trouvées. Quand ils sortent de là, ils ne sauraient plus s'exprimer et ils tombent dans une sécheresse qui est encore pire que leurs larcins. Pour moi je ne sais pas

392. Voir l'*Épître première* (1669), vers 141-142.

si j'y ai réussi mais quand je fais des vers je songe toujours à dire ce qui ne s'est point encore dit en notre langue. C'est ce
50 que j'ai principalement affecté dans une nouvelle épître[393], que j'ai faite à propos de toutes les critiques qu'on a imprimées contre ma dernière satire. J'y conte tout ce que j'ai fait depuis que je suis au monde. J'y rapporte mes défauts, mon âge, mes inclinations, mes mœurs. J'y dis de quel père et de quelle mère
55 je suis né. J'y marque les degrés de ma fortune, comment j'ai été à la Cour, comment j'en suis sorti, les incommodités qui me sont survenues, les ouvrages que j'ai faits. Ce sont bien des petites choses dites en assez peu de mots puisque la pièce n'a pas plus de cent trente vers. Elle n'a pas encore vu le jour
60 et je ne l'ai pas même encore écrite. Mais il me paraît que tous ceux à qui je l'ai récitée en sont aussi frappés que d'aucun autre de mes ouvrages. Croiriez-vous, Monsieur, qu'un des endroits où ils se récrient le plus, c'est un endroit qui ne dit autre chose sinon qu'aujourd'hui que j'ai cinquante-sept ans[394]
65 je ne dois plus prétendre à l'approbation publique. Cela est dit en quatre vers que je veux bien vous écrire ici afin que vous me mandiez si vous les approuvez :

> Mais aujourd'hui qu'enfin la vieillesse venue,
> Sous mes faux cheveux blonds déjà toute chenue,
> A jeté sur ma tête avec ses doigts pesants,
> 70 Onze lustres complets surchargés de deux ans;
> Cessons de nous flatter, etc.

Il me semble que la perruque est assez heureusement frondée. [...]

[Boileau s'excuse auprès de son correspondant d'avoir trop parlé de lui-même. Il revient aux traductions de Maucroix et évoque la lettre qu'Antoine Arnauld écrivit à Perrault pour défendre la *Satire X*. Puis il poursuit :]

75 Est-ce que nous ne vous reverrons plus à Paris et n'avez-vous point quelquefois curiosité de voir ma solitude d'Auteuil? Que j'aurais de plaisir à vous y embrasser et à déposer entre vos mains les chagrins que me donne tous les jours le mauvais goût de la plupart de nos Académiciens, gens assez compa-
80 rables aux Hurons et aux Topinamboux comme vous savez

---

393. Il s'agit de l'*Épître X*, composée au début de 1695, après les critiques que lui vaut la *Satire X*. Les vers cités sont les vers 25 et suivants; 394. En fait, Boileau a plus de cinquante-huit ans en avril 1695. Voir la note 3 au début de la Préface.

bien que je l'ai déjà avancé dans mon épigramme *Clio vint l'autre jour*, etc. J'ai supprimé cette épigramme et ne l'ai point mise dans mes ouvrages parce qu'au bout du compte je suis de l'Académie et qu'il n'est pas honnête de diffamer un corps
85 dont on est. Je n'ai même jamais montré à personne une badinerie que je fis ensuite pour m'excuser de cette épigramme. Je vais la mettre ici pour vous divertir, mais c'est à la charge que vous me garderez le secret et que ni vous ne la retiendrez par cœur ni ne la montrerez à personne :

90 J'ai traité de Topinamboux
Tous ces beaux censeurs, je l'avoue,
Qui de l'Antiquité si follement jaloux
Aiment tout ce qu'on hait, blâment tout ce qu'on loue
Et l'Académie entre nous
95 Souffrant chez soi de si grands fous,
Me semble un peu Topinamboue.

C'est une folie comme vous voyez, mais je vous la donne pour telle. Adieu Monsieur. Je vous embrasse de tout mon cœur et suis entièrement à vous.

DESPRÉAUX.

LETTRE À MONSIEUR DE LOSME DE MONTCHESNAY

(Septembre 1707.)

Jacques de Losme, sieur de Montchesnay (1666-1740), était un avocat. De 1687 à 1693, il avait fait jouer cinq comédies au Théâtre-Italien et il est l'auteur du *Bolaeana ou Entretiens avec Monsieur Boileau Despréaux*, publié en 1735. La lettre de Boileau, et la réponse que lui fit son correspondant un mois plus tard sont peut-être l'écho d'une discussion qui opposa Boileau à Massillon en 1701, à Auteuil, au sujet du théâtre.

Puisque vous vous détachez de l'intérêt du ramoneur[395], je ne vois pas, Monsieur, que vous ayez aucun sujet de vous plaindre de moi, pour avoir écrit que je ne pouvais juger à la hâte d'ouvrages comme les vôtres, et surtout à l'égard de
5 la question que vous entamez sur la tragédie et sur la comédie, que je vous ai avoué néanmoins que vous traitiez avec beaucoup d'esprit; car, puisqu'il faut vous dire le vrai, autant que je puis me ressouvenir de votre dernière pièce, vous prenez le change[396], et vous y confondez la comédienne avec la comédie,

---

395. Losme de Montchesnay avait fait porter sa lettre à Boileau par un ramoneur; **396.** *Prendre le change :* se tromper.

10 que, dans mes raisonnements avec le Père Massillon[397], j'ai, comme vous savez, exactement séparées?

Du reste, vous y avancez une maxime* qui n'est pas, ce me semble, soutenable; c'est à savoir, qu'une chose qui peut produire quelquefois de mauvais effets dans des esprits vicieux,
15 quoique non vicieuse d'elle-même, doit être absolument défendue, quoiqu'elle puisse d'ailleurs servir au délassement et à l'instruction des hommes. La vertu convertit tout en bien, et le vice tout en mal. Si votre maxime est reçue, il ne faudra plus non seulement voir représenter ni comédie, ni tragédie,
20 mais il n'en faudra plus lire aucune; il ne faudra plus lire ni Virgile, ni Théocrite, ni Térence, ni Sophocle, ni Homère; et voilà ce que demandait Julien l'Apostat, et qui lui attira cette épouvantable diffamation de la part des Pères de l'Église. Croyez-moi, Monsieur, attaquez nos tragédies et nos comé-
25 dies, puisqu'elles sont ordinairement fort vicieuses, mais n'attaquez point la tragédie et la comédie en général, puisqu'elles sont d'elles-mêmes indifférentes, comme le sonnet et les odes, et qu'elles ont quelquefois rectifié l'homme plus que les meilleures prédications : et, pour vous en donner un exemple
30 admirable, je vous dirai qu'un grand prince[398], qui avait dansé à plusieurs ballets, ayant vu jouer le *Britannicus* de M. Racine, où la fureur de Néron à monter sur le théâtre est si bien attaquée, il ne dansa plus à aucun ballet, non pas même au temps du carnaval[399]. Il n'est pas concevable de combien de mau-
35 vaises choses la comédie a guéri les hommes capables d'être guéris; car j'avoue qu'il y en a que tout rend malades. Enfin, Monsieur, je vous soutiens, quoi qu'en dise le Père Massillon, que le poème dramatique est une poésie indifférente de soi-même, et qui n'est mauvaise que par le mauvais usage qu'on
40 en fait. Je soutiens que l'amour, exprimé chastement dans cette poésie, non seulement n'inspire point l'amour, mais peut beaucoup contribuer à guérir de l'amour les esprits bien faits, pourvu qu'on n'y répande point d'images ni de sentiments voluptueux; que s'il y a quelqu'un qui ne laisse pas, malgré cette précaution,
45 de s'y corrompre, la faute vient de lui, et non pas de la comédie.

---

397. Le P. Jean-Baptiste Massillon (1663-1742) fut extrêmement apprécié de la Cour à partir de 1700 environ; 398. Louis XIV; 399. Voir *Britannicus*, IV, IV. Dans ses *Mémoires sur la vie de Jean Racine* (1747), Louis Racine écrit : « Ces vers frappèrent le jeune monarque, qui avait quelquefois dansé dans les ballets, et quoiqu'il dansât avec beaucoup de noblesse, il ne voulut plus paraître dans aucun ballet, reconnaissant qu'un roi ne doit point se donner en spectacle. »

Du reste je vous abandonne le comédien et la plupart de nos poètes, et même M. Racine en plusieurs de ses pièces. Enfin, Monsieur, souvenez-vous que l'amour d'Hérode pour Mariamne dans Josèphe[400], est peint avec tous les traits les plus sensibles 50 de la vérité : cependant qui est le fou qui a jamais défendu pour cela la lecture de Josèphe? Je vous barbouille tout ce canevas de dissertation afin de vous montrer que ce n'est pas sans raison que j'ai trouvé à redire à votre raisonnement. J'avoue cependant que votre satire est remplie de vers bien 55 trouvés. Je suis etc.

DESPRÉAUX.

---

400. Flavius *Josèphe* (37-100 apr. J.-C.). Historien grec, auteur des *Antiquités hébraïques* (voir le livre XV). Tristan l'Hermite avait fait représenter avec succès, en 1636, une belle tragédie inspirée par le même épisode : *Mariamne*.

DOCUMENTATION THÉMATIQUE

réunie par la Rédaction des Nouveaux Classiques Larousse.

1. « Ce qui se conçoit bien s'énonce clairement » :
   - 1.1. Pierre Fabri, précurseur du classicisme;
   - 1.2. Le siècle classique;
   - 1.3. Le XVIIIe siècle.
2. L'évolution des genres littéraires « secondaires » :
   - 2.1. Les genres hérités du Moyen Âge;
   - 2.2. L'épigramme et la satire;
   - 2.3. L'apport du XVIe siècle.
3. Les grands genres :
   - 3.1. L'épopée;
   - 3.2. La tragédie.
4. Boileau, critique littéraire :
   - 4.1. Le Moyen Âge;
   - 4.2. Le XVIe siècle;
   - 4.3. Boileau, juge de ses contemporains.

1. « CE QUI SE CONÇOIT BIEN S'ÉNONCE CLAIREMENT »

1.1. PIERRE FABRI, PRÉCURSEUR DU CLASSICISME

Dans cet extrait de son *Grand et Vrai Art de pleine rhétorique*, publié en 1501, Pierre Fabri expose ce qu'il entend par « élégance » :

> Élégance est quand on dit purement et clairement en beaux termes son intention, et comme il est ja dit, c'est autre chose de parler intelligiblement ou de parler élégantement, car, en parlant intelligiblement, il peut [y] avoir des vices; mais en parlant élégantement, il n'y en doit point avoir; par quoi l'on ne doit point composer termes nouveaux, ni de vieux barbares, ne [= mais?] de termes communs et usités, à tous enseignés.
>
> Tout langage élégant est approuvé par l'antiquité du temps qui fut dit, pour l'autorité de celui qui l'a dit, pour la raison ou sentence qu'il contient et pour la commune accoutumance de parler des gens entendus.
>
> L'autorité se prouve par les orateurs et acteurs [= auteurs?] autorisés qui l'ont dit, combien que le rythme [= vers] excuse aucune fois impropre langage quand sentence le contraint.
>
> Parquoi, pour élégantement parler, il convient avoir science pour approprier leurs termes à la chose selon son propre significat [= signification].
>
> L'on doit esquiver toute ambiguïté qui rend l'entendement incertain, et multitude de vain langage.
>
> L'on ne doit point sercher par circonlocution et superfluité de termes ce qui bref et droit se peut dire, ni ce qui est assez dit pour une fois ne doit point être chargé de paroles. Mais il faut user de propres termes, garder droit ordre, venir bref en sa conclusion, qu'il n'y ait rien qui défaille ne aussi superflu.
>
> De la composition d'élégance, c'est poli assemblement des paroles à la sentence; car celui qui rudement compose, il assemble multitude de langage, et parle d'esprit et non point d'art; mais l'orateur assemble tellement [= de telle manière] ses paroles à sa sentence qu'il n'y a[it] rien diminué ne rien superflu, mais par une harmonieuse et douce composition, il lie étroit[ement] et lâche[ment] ses paroles à la sentence sans aucune disconvénience et tout par ordre.

1.2. LE SIÈCLE CLASSIQUE

La Bruyère, dans le chapitre consacré à « La société et la conversation », s'attaque probablement aux précieuses dans le passage suivant au nom des mêmes critères :

L'on a vu, il n'y a pas longtemps, un cercle de personnes des deux sexes, liées ensemble par la conversation et par un commerce d'esprit. Ils laissaient au vulgaire l'art de parler d'une manière intelligible; une chose dite entre eux peu clairement en entraînait une autre encore plus obscure, sur laquelle on enchérissait par de vraies énigmes, toujours suivies de longs applaudissements : par tout ce qu'ils appelaient délicatesse, sentiments, tour et finesse d'expression, ils étaient enfin parvenus à n'être plus entendus et à ne s'entendre pas eux-mêmes. Il ne fallait, pour fournir à ces entretiens, ni bon sens, ni jugement, ni mémoire, ni la moindre capacité : il fallait de l'esprit, non pas du meilleur, mais de celui qui est faux, et où l'imagination a trop de part (v. 65).

1.3. LE XVIIIe SIÈCLE

Voltaire prône, en bon classique, « clarté » et « simplicité », dans une lettre datée de 1756 :

Les bons auteurs n'ont de l'esprit qu'autant qu'il en faut, ne le recherchent jamais, pensent avec bon sens, et s'expriment avec clarté. Il semble qu'on n'écrive plus qu'en énigmes. Rien n'est simple, tout est affecté; on s'éloigne en tout de la nature, on a le malheur de vouloir faire mieux que nos maîtres. [...] Voyez avec quelle clarté, quelle simplicité notre Racine s'exprime toujours. Chacun croit, en le lisant, qu'il dirait en prose tout ce que Racine a dit en vers. Croyez que tout ce qui ne sera pas aussi clair, aussi simple, aussi élégant, ne vaudra rien du tout.

Dans sa *Lettre à l'Académie* (1714), Fénelon écrivait déjà :

Je conviens, d'un autre côté, qu'on ne doit jamais hasarder aucune locution ambiguë; j'irai même d'ordinaire avec Quintilien jusqu'à éviter toute phrase que le lecteur entend, mais qu'il pourrait ne pas entendre s'il ne suppléait pas ce qui y manque. Il faut une diction simple, précise et dégagée, où tout se développe de soi-même, et aille au-devant du lecteur. Quand un auteur parle au public, il n'y a aucune peine qu'il ne doive prendre, pour en épargner à son lecteur. Il faut que tout le travail soit pour lui seul, et tout le plaisir, avec tout le fruit, pour celui dont il veut être lu. Un auteur ne doit laisser rien à chercher dans sa pensée. Il n'y a que les faiseurs d'énigmes qui soient en droit de présenter un sens enveloppé. Auguste voulait qu'on usât de répétitions fréquentes, plutôt que de laisser quelque péril d'obscurité dans le discours. En effet le premier de tous les devoirs d'un homme qui n'écrit que pour être entendu est de soulager son lecteur, en se faisant d'abord entendre.

J'avoue que nos plus grands poètes français, gênés par les lois rigoureuses de notre versification, manquent en quelques endroits de ce degré de clarté parfaite. Un homme qui pense beaucoup veut beaucoup dire; il ne peut se résoudre à rien perdre; il sent le prix de tout ce qu'il a trouvé, il fait de grands efforts pour renfermer tout dans les bornes étroites d'un vers. On veut même trop de délicatesse : elle dégénère en subtilité. On veut trop éblouir et surprendre, on veut avoir plus d'esprit que son lecteur, et le lui faire sentir, pour lui enlever son admiration; au lieu qu'il faudrait n'en avoir jamais plus que lui, et lui en donner même, sans paraître en avoir. On ne se contente pas de la simple raison, des grâces naïves, du sentiment le plus vif, qui font la perfection réelle; on va un peu au-delà du but par amour-propre. On ne sait pas être sobre dans la recherche du beau; on ignore l'art de s'arrêter tout court en deçà des ornements ambitieux. Le mieux, auquel on aspire, fait qu'on gâte le bien, dit un proverbe italien. On tombe dans le défaut de répandre un peu trop de sel et de vouloir donner un goût trop relevé à ce qu'on assaisonne; on fait comme ceux qui chargent une étoffe de trop de broderie. Le goût exquis craint le trop en tout, sans en excepter l'esprit même. L'esprit lasse beaucoup, dès qu'on l'affecte et qu'on le prodigue. C'est en avoir de reste que d'en savoir retrancher pour s'accommoder à celui de la multitude et pour lui aplanir le chemin. Les poètes qui ont le plus d'essor de génie, d'étendue de pensées et de fécondité, sont ceux qui doivent le plus craindre cet écueil de l'excès d'esprit. C'est, dira-t-on, un beau défaut, c'est un défaut rare, c'est un défaut merveilleux. J'en conviens; mais c'est un vrai défaut, et l'un des plus difficiles à corriger. Horace veut qu'un auteur s'exécute sans indulgence sur l'esprit même :

Vir bonus et prudens versus reprehendet inertes :
Culpabit duros, incomptis allinet atrum
Transverso calamo signum; ambitiosa recidet
Ornamenta; parum claris lucem dare coget[401].

On gagne beaucoup en perdant tous les ornements superflus pour se borner aux beautés simples, faciles, claires et négligées en apparence. Pour la poésie, comme pour l'architecture, il faut que tous les morceaux nécessaires se tournent en ornements naturels. Mais tout ornement qui n'est qu'ornement est de trop; retranchez-le, il ne manque rien, il n'y a que la vanité qui en souffre. Un auteur qui a trop d'esprit, et qui en veut toujours avoir, lasse et épuise le mien : je n'en veux point avoir

401. « L'homme honnête, le sage reprendra les vers sans nerfs, il mettra en cause les vers durs, les vers sans élégance; il les barrera d'un trait noir de sa plume, il retranchera les ornements ambitieux; ceux qui sont trop peu clairs, il forcera le poète à les éclaircir » (Horace, *Art poétique*, vers 445 et suivants).

tant. S'il en montrait moins, il me laisserait respirer et me ferait plus de plaisir : il me tient trop tendu, la lecture de ses vers me devient une étude. Tant d'éclairs m'éblouissent, je cherche une lumière douce qui soulage mes faibles yeux. Je demande un poète aimable, proportionné au commun des hommes, qui fasse tout pour eux, et rien pour lui. Je veux un sublime si familier, si doux et si simple, que chacun soit d'abord tenté de croire qu'il l'aurait trouvé sans peine, quoique peu d'hommes soient capables de le trouver. Je préfère l'aimable au surprenant et au merveilleux. Je veux un homme qui me fasse oublier qu'il est auteur, et qui se mette comme de plain-pied en conversation avec moi.

2. L'ÉVOLUTION DES GENRES LITTÉRAIRES SECONDAIRES

2.1. LES GENRES HÉRITÉS DU MOYEN ÂGE

Il s'agit ici du rondeau, de la ballade (ch. II, vers 139-144 de *l'Art poétique*) et de la chanson (ch. II, vers 191-204). On comparera l'opinion de Boileau avec celles de Du Bellay (*Défense et illustration*, 1549), de Thomas Sébillet (*l'Art poétique français*, 1548) en particulier. On étudiera aussi les réactions que nous signalons aux prises de position de Du Bellay.

A. Du Bellay (*Défense*, II, IV).

Lis donc, et relis premièrement, ô poète futur, feuillette de main nocturne et journelle les exemplaires grecs et latins, puis me laisse toutes ces vieilles poésies françaises aux Jeux Floraux de Toulouse et au Puy de Rouen : comme rondeaux, ballades, virelais, chants royaux, chansons et autres telles épiceries, qui corrompent le goût de notre langue et ne servent sinon à porter témoignage de notre ignorance.

B. Les réactions à ce texte.

Aneau, auteur du *Quintil horatien*, qui fait la critique de la *Défense*, écrit à ce propos :

Trop dédaigneuse est cette exhortation de laisser les vieilles poésies aux [jeux] Floraux de Toulouse et au Puy de Rouen. Par laquelle trop superbe exhortation sont indignement et trop arrogamment déprisées deux très nobles choses. Dont l'une est l'institution ancienne en deux très bonnes villes de France de l'honneur attribué aux mieux faisants, pour l'entretien éternel de la poésie française, jouxte le proverbe : *l'honneur nourrit les arts.* Tel que jadis fut en Grèce aux Olympiques, et à Rome aux jeux publics. L'autre est l'excellence et la noblesse de nos poèmes les plus beaux et les plus artificiels, comme rondeaux, ballades, chants royaux, virelais, lesquels tu nommes, par terrible translation, épicerie corrompant le goût : qui toutefois en toute perfection d'art et d'invention excèdent tes beaux sonnets et odes (que tu nommes ainsi) desquels plus amplement ci-après je parlerai. Et en cet endroit, tu ne connais, ou ne veux [re]connaître, que ces nobles poèmes sont propres et particuliers à [la] langue française, et de la sienne et propre et antique invention. Sinon que par aventure on les voulût rapporter à d'autres formes hébraïques et grecques chez les prophètes et dans Isocrate, et quelques latines en Cicéron dans ses oraisons et chez Virgile aux vers intercalaires. Ce que même les noms de ce poème donnent à entendre. Car rondeau est période, ballade est nom grec, chant royal est carme [= poésie] héroïque, par principale dénomination, virelai est lyrique ou laïque, c'est-à-dire populaire. Ce que ne pensant pas, tu les rejettes, mêmement les virelais, et à la fin ordonnes les vers lyriques qui sont tout un et une même chose. Mais ce qui te fait les mépriser, à mon avis que c'est la difficulté d'iceux poèmes, qui ne sortent jamais de pauvre esprit, et d'autant sont plus beaux que de difficile facture, selon le proverbe grec τα αλεηα καλα, *choses difficiles sont belles.* Tout ainsi comme en grec et en latin les vers hexamètres, cheminant à deux pieds seulement, sont plus nobles et plus beaux que les trochaïques[402] ou ïambiques ou comiques, qui reçoivent plusieurs pieds indifféremment et plus à l'aise. Pour ce, ne blâme point ce qui tant est louable, et ne défends aux autres ce que tu désespères pouvoir parfaire. Et ne dis point que tels poèmes ne servent sinon à porter témoignage de notre ignorance. Car au contraire, par excellence de vers et ligatures, nombreuse multiplicité de cadences unisonnantes et argute rentrée, refrains et reprises avec la majesté de la chose traitée, et épilogue des envois, témoignent la magnificence et richesse de notre langue, et la noblesse et félicité des esprits français, en cela excédant toutes les poésies vulgaires. Mais pour le difficile artifice et l'élaborée beauté d'iceux anciens poèmes, tu les veux être laissés. *(Quintil horatien.)*

C. Thomas Sébillet.

◆ Le rondeau.

Matière de Rondeau. — Car parce que la matière du Rondeau n'est autre que du Sonnet ou Épigramme, les Poètes de ce temps les plus friands ont quitté les Rondeaux à l'antiquité, pour s'arrêter aux Épigrammes et Sonnets, Poèmes de premier prix entre les petits. Et de fait tu lis peu de Rondeaux de Saint-Gelais, Scève, Salel, Héroët : et ceux de Marot sont plus exercices de jeunesse, fondés sur l'imitation de son père, qu'œuvres

402. Trochées.

de telle étoffe que sont ceux de son plus grand âge : par la maturité duquel tu trouveras peu de Rondeaux crûs dedans son jardin. Toutefois pour honorer l'antiquité et n'ignorer l'usage du Rondeau, quand tu liras, ou prendras envie d'en faire, entends qu'il s'en fait de quatre sortes.

◆ La ballade. Th. Sébillet est le dernier théoricien qui en traite en détail au XVIe siècle.

◆ La chanson.

La chanson. — La chanson approche de tout près l'Ode, que de son et de nom se ressemblent quasi de tous points : car aussi peu de constance à l'une que l'autre en forme de vers, et usage de rime. Aussi en est la matière toute une. Car le plus commun sujet de toutes deux sont Vénus, ses enfants et ses Charités : Bacchus, ses flacons et ses saveurs. Néanmoins tu trouveras la Chanson moindre en nombre de couplets que le Chant lyrique, et de plus inconstante façon et forme de style, notamment aujourd'hui, que les Musiciens et Chantres font de tout ce qu'ils trouvent, voient, et oient, Musique et Chanson, et me doute fort qu'entre ci et peu de jours ils feront de Petit-Pont[403], et de la Porte-Baudets[404] des Chansons nouvelles. Pourtant peux-tu aisément entendre que de t'en écrire forme et règle certaine, serait à moi téméraire entreprise, à toi leçon inutile. Lis donc les Chansons de Marot (autant souverain auteur d'elles, comme Saint-Gelais de Chants lyriques) desquels les sons et différences t'enseigneront plus de leur usage, qu'avertissement que je te puisse ici ajouter. Et ne t'ébahis au reste de ce que j'ai séparé ces trois, le Cantique, l'Ode et la Chanson, que je pouvais comprendre sous l'appellation de Chanson : car encore que nous appellions bien en français, Chanson, tout ce qui se peut chanter : et ces trois soient indifféremment faits pour chanter, comme leurs noms et leurs usages portent, toutefois connais-tu bien qu'ils ont en forme et style quelque dissimilitude, laquelle tue [= qui, si je l'avais passée sous silence] t'eût fait douter, et comme je l'ai exprimée, ne te peut soulager.

On cherchera ce qui, pour Sébillet, différencie l'ode et la chanson. On comparera avec ce que dit de l'ode du Bellay (*Défense*, II, IV), en accord sur ce point avec Ronsard (Préface des *Odes*) et Peletier du Mans *(Art poétique)*.

D. Théodore de Banville.

Dans son *Petit Traité de poésie française* (1891), l'auteur traite, au

---

403. Le *Petit-Pont* porte encore ce nom, et son emplacement n'a pas changé. Construit en 1409, il joignait le quartier de l'Université à la ville et l'Hôtel-Dieu au Petit-Châtelet, et était continué en droite ligne par le pont Notre-Dame; **404.** La *Porte-Baudets*, bâtie par Philippe-Auguste à la rue Saint-Antoine, fut démolie en 1672.

chapitre IX, des « Poèmes traditionnels à forme fixe », et commence ainsi :

Les poèmes traditionnels à forme fixe.

J'ai nommé *poèmes traditionnels à forme fixe* ceux pour lesquels la tradition a irrévocablement fixé le nombre de vers qu'ils doivent contenir et l'ordre dans lequel ces vers doivent être disposés. Ce groupe de poèmes est l'un de nos plus précieux trésors, car chacun d'eux forme un tout rythmique, complet et parfait, et en même temps ils ont la grâce naïve et comme inconsciente des créations qu'ont faites les époques primitives. Je me hâte de les passer en revue et je commence par le Rondel, poème exquis, dont il faut chercher presque tous les chefs-d'œuvre dans le livre du prince Charles d'Orléans[405], petit-fils de Charles V, neveu de Charles VI, père de Louis XII et oncle de François Ier.

2.2. L'ÉPIGRAMME ET LA SATIRE

A. L'épigramme.

On étudiera comment Sébillet et Du Bellay, parlant du même genre littéraire, n'y donnent pas le même contenu. On recherchera, d'autre part, à quoi correspondait l'épigramme dans les littératures grecque et latine.

◆ Du Bellay, *Défense* (II, v).

Jette-toi à ces plaisantes épigrammes, non point comme font aujourd'hui un tas de faiseurs de contes nouveaux, qui en un dizain sont contents n'avoir rien dit qui vaille aux neufs premiers vers, pourvu qu'au dixième il y ait le petit mot pour rire : mais à l'imitation d'un Martial[406], ou de quelqu'autre bien approuvé[407], si la lascivité ne te plaît, mêle le profitable avec le doux.

◆ Th. Sébillet, *l'Art poétique français* (II, I).

De l'Épigramme, et ses usages et différences.

Qu'est Épigramme. Je commencerai à l'Épigramme comme la plus petite et première œuvre de Poésie : et de laquelle bonne part des autres soutenues rend témoignage de sa perfection et élégance. Or appellé-je Épigramme[408] ce que le Grec et le Latin ont nommé de ce même nom, c'est-à-dire, Poème de tant peu de vers qu'en requiert le titre ou superscription d'œuvre que

---

405. Poésies de Charles d'Orléans. Édition de M. Champollion-Figeac, chez J. Belin Leprieur, 15, quai Malaquais; édition de M. Charles d'Héricault, chez Alphonse Lemerre; 406. Poète latin du Ier siècle apr. J.-C.; 407. Dont l'autorité est reconnue; 408. *Épigramme* signifie en effet étymologiquement « texte écrit sur un monument, une pierre, etc. ».

ce soit, comme porte l'étymologie du mot et l'usage premier de l'Épigramme, qui fut en Grèce et Italie premièrement approprié aux bâtiments et édifices, ou pour mémoire de l'auteur d'iceux ou pour marque d'acte glorieux fait par lui. Et ne devait plus contenir de vers qu'il s'en pouvait écrire dessus un portail dedans la frise enfoncée entre l'architrave et la corniche[409] proéminente par-dessus les chapiteaux des colonnes. Pourtant tiennent encore les Latins Poètes leur distique pour souverain Épigramme. Mais parce que tout ce qu'on peut écrire en Épigramme, ne s'est pu toujours comprendre en deux vers, les Grecs et Latins premiers, et nous Français après eux, n'avons limité aucun nombre de vers pour l'Épigramme : mais les allongeons tant que le requiert la matière prise. Et de là est-ce que entre les épitaphes (qui ne sont autres qu'inscriptions de tombes, ou épigrammes sépulchraux) écrits en Marot, en trouvons de longs jusques à 30 ou 40 vers. Tu dois néanmoins penser que les Épigrammes qui ont plus de vers sont celles aussi qui ont moins de grâce. Parce que régulièrement les bons Poètes français n'excèdent le nombre de douze vers en Épigramme : aussi en font-ils de tous les nombres qui sont depuis douze jusqu'à deux : au-dessous desquels rime ne peut consister en unité, pour raison que la parité de la rime requiert être couplée. [...] Surtout, sois en l'Épigramme le plus fluide que tu pourras, et étudie à ce que les deux vers derniers soient aigus en conclusion : car en ces deux consiste la louange de l'Épigramme. Et est l'esprit de l'Épigramme tel, que par lui le Poète rencontre le plus ou le moins de faveur; témoins Marot, et Saint-Gelais singulièrement recommandés aux compagnies des savants pour le sel de leurs épigrammes.

Des Autels, dans le *Quintil horatien*, réplique à du Bellay :

Tu veux que l'on se jette (comme tu parles) à ces plaisantes épigrammes, poésie aussi aisée comme brève. De laquelle se sont aussi bien aidés et d'aussi bonne grâce nos poètes français tant vieux que nouveaux, et en grand nombre, qu'un Martial latin (que tu proposes), poète inégal, bien souvent froid, espagnol, mal romain, et flatteur, idolâtre de Domitien, vicieux, et abominable sotadic[410], méritant n'être mis en lumière que de flamme de feu. Auquel Martial le plus souvent échoie ce que tu reprends aux faiseurs de contes nouveaux, qui est le petit mot pour rire de la fin, et rien de plus.

B. La satire.

§ On comparera à Boileau (*l'Art poétique*, ch. II, vers 145-180),

409. Mot nouveau à l'époque, issu de l'italien; **410.** *Sotadic :* disciple ou imitateur de Sotades, poète crétois inventeur d'une sorte de vers.

à Diderot (Notice du *Neveu de Rameau*, dans les Nouveaux Classiques Larousse) les conceptions de Du Bellay et de Sébillet.

◆ Du Bellay, *Défense* (II, IV).

Autant te dis-je des satires, que les Français, je ne sais comment, ont appelées coqs à l'âne, auxquels je te conseille aussi peu t'exercer, comme je te veux être alieue[411] de mal dire : si tu ne voulais, à l'exemple des anciens, en vers héroïques (c'est-à-dire de dix à onze[412], et non seulement de huit à neuf) sous le nom de satire, et non de cette inepte appellation de coq à l'âne, taxer[413] modestement[414] les vices de ton temps, et pardonner[415] aux noms des personnes vicieuses. Tu as pour ceci Horace, qui selon Quintilien, tient le premier lieu entre les satiriques.

◆ Le chapitre IX de *l'Art poétique français* (IIe partie) de Sébillet est à l'origine de ce rapprochement entre « coq-à-l'âne » et « satire » :

Coq à l'âne pourquoi ainsi appelé. Je désire pour la perfection de toi Poète futur, en toi parfaite connaissance des langues grecque et latine : car elles sont les deux forges d'où nous tirons les pièces meilleures de notre harnais, comme je t'ai averti par ci-devant en plusieurs endroits et tu peux voir encore en ce Poème, que nous avons découvert naguère : et l'ont ses premiers auteurs nommé Coq à l'âne, pour la variété inconstante des non cohérents propos, que les Français expriment par le proverbe du saut du Coq à l'âne. Sa matière sont les vices de chacun, qui y sont repris librement par la suppression du nom de l'auteur. Sa plus grande élégance est sa plus grande absurdité de suite de propos, qui est augmentée par la rime plate et les vers de huit syllabes. L'exemplaire en est chez Marot, premier inventeur des Coqs à l'âne, et premier en toutes sortes auteur d'iceux, si tu ne les veux rechercher plus loin.

Les Satires. — Car à la vérité les Satires de Juvénal, Perse et Horace sont Coqs à l'âne latins : ou à mieux dire, les Coqs à l'âne de Marot sont pures Satires françaises, comme je t'avais commencé à dire à l'entrée de ce chapitre. Mais sois fin et avisé en les faisant, afin de ne tomber au vice de je ne sais quels, non poètes, mais rimeurs, qui émus de la faveur qu'avaient rencontrée ceux de Marot pour leur nouveauté et bonne grâce, et de tel amour envers leurs sots œuvres qu'ont les singes envers leurs laids petits, n'ont eu honte par ci-devant, et ne craignent tous les jours de publier des rimasseries, qui ne méritent nom

---

411. Mot calqué du latin *alienus*, étranger; **412.** Décasyllabe masculin ou féminin opposé à l'octosyllabe des satires de Marot; **413.** Censurer; **414.** Avec modération; **415.** Épargner le nom même des personnes.

de Coqs à l'âne, ni de satires, tant sont licencieuses, lascives, effrénées et autrement sottement inventées et composées.

En 1554, Claude de Boissière écrit, dans son *Art poétique :* « Coq-à-l'âne ou bien satire est composition de propos non liés, couvertement reprenant les vices d'un chacun. »

Le *Quintil horatien* commente le texte de Du Bellay de la manière suivante :

Coqs à l'âne sont bien nommés par leur bon parrain Marot, qui nomma le premier, non *coq à l'âne*, mais *épître du coq à l'âne*, le nom pris sur le commun proverbe français, *sauté du coq à l'âne*, et le proverbe sur les apologues. Lesquelles vulgarités à nous propres tu ignores, pour les avoir méprisées, cherchant autre part l'ombre, dont tu avais la chair. Et puis témérairement tu reprends ce que tu ne sais. Par quoi, pour [= à cause de] leur propos ne s'entresuivant, sont bien nommées du coq à l'âne telles énigmes satirées, et non satires. Car satire est autre chose. Mais ils sont satirés, non pour la forme de leur facture, mais pour la sentence redarguante[416] à la manière des satires latines. Combien que tels propos du coq à l'âne peuvent bien être adressés à autres arguments que satiriques, comme les *Absurda* de Érasme, la farce du Sourd et de l'Aveugle, et l'Ambassade des Cornards de Rouen.

2.3. L'APPORT DU XVIe SIÈCLE

A. L'ode.

Boileau lui consacre les vers 58 à 81 du chant II de son *Art poétique.* Voici ce qu'en dit du Bellay (*Défense*, II, IV) :

Chante-moi ces odes, inconnues encore de la muse française, d'un luth bien accordé au son de la lyre grecque et romaine, et qu'il n'y ait vers où n'apparaisse quelque vestige de rare et antique érudition. Et quant à ce, te fourniront de matière les louanges des dieux et des hommes vertueux, le discours fatal des choses mondaines, la sollicitude des jeunes hommes, comme l'amour, les vins libres[417], et toute bonne chère. Sur toutes choses, prends garde que ce genre de poèmes soit éloigné du vulgaire[418], enrichi et illustré de mots propres et épithètes non oisifs[419], orné de graves sentences, et varié de toutes manières de couleurs et ornements poétiques : non comme un *Laisse la verde couleur*[420], *Amour avec Psyché*[421], *Ô combien*

---

416. *Redarguer :* réfuter, dénoncer en retour; **417.** Les vins qui délient la langue; **418.** De la foule, des pensées banales; **419.** Inutiles; **420.** Début d'une chanson de Saint-Gelais; **421.** Début d'une chanson de Pernette de Guillet, poétesse lyonnaise (1545).

est heureuse[422], et autres tels ouvrages, mieux dignes d'être nommés chansons vulgaires qu'odes ou vers lyriques.

On rapprochera de ce passage ce texte de Peletier du Mans (*Art poétique*, II, v) :

La matière de l'ode sont les louanges des dieux, demi-dieux et des princes : les amours, les banquets, les jeux festis, et semblables passe-temps. Qui montrait qu'elle est capable de divers arguments et de divers styles.

Ronsard, s'adressant « au lecteur » en tête du recueil des *Odes* (1587), écrit :

Tu dois savoir que toute sorte de poésie a l'argument propre et convenable à son sujet : l'Héroïque, armes, assauts de villes, batailles, escarmouches, conseils et discours de capitaines; la Satirique, brocards et répréhensions de vices; la Tragique, morts et misérables accidents de Princes; la Comique, la licence effrénée de la jeunesse, les ruses des courtisanes, avarice de vieillards, tromperie de valets; la Lyrique, l'amour, le vin, les banquets dissolus, les danses, masques, chevaux victorieux, escrime, joutes et tournois, et peu souvent quelque argument de Philosophie. Pour ce, lecteur, si tu vois telles matières librement écrites, et plusieurs fois redites en ces Odes, tu ne t'en dois émerveiller, mais toujours te souvenir des vers d'Horace en son *Art poétique :*

Musa dedit fidibus Ditos, perosque Deorum
Et pugilem victorem et equum certamine primum
Et juvenum curas, et libera vina referre[423].

Enfin, le *Quintil horatien* répond à du Bellay, qui raillait des « chansons vulgaires » à la fin du texte que nous citons :

Ô quelle réjection de choses si bien faites, et par tels auteurs que d'esprits [= que desprises?] de les nommer chansons vulgaires? (chansons bien, vulgaires non, comme serait la *Tirelitanteine* ou *Lamy-baudichon :* car ce ne sont chansons desquelles on voise à la moutarde) et puis dire icelles ne mériter le nom d'odes, ou de vers lyriques? Je te demande : n'est-ce une même chose ᾠδή, *ode*, *cantio* et *chanson*, en trois langues diverses? Ainsi comme ἀνήρ, *aner*, *vir*, *homme?* Et les noms divers changent-ils la chose? Certes non. Quel besoin était-il donc d'écorcher le nom grec, où le Français était? Ce que n'ont fait les Italiens (tes dieux en singerie) qui du nom Français l'ont appelée *canzone*. Pour ce, contre ton dit, si elles sont chansons, elles sont odes

422. Chanson de Saint-Gelais; **423.** « La Muse a donné à la lyre de célébrer les dieux, et le pugiliste vainqueur, et le cheval premier dans la course, et les peines de cœur des jeunes gens et la liberté du vin » (vers 83-85).

> par équipollence de nom. Et si elles peuvent être sonnées à la lyre (comme elles sont), méritent le nom de vers lyriques, mieux que les bayes[424] de ton *olive* ne la suite, qui ne furent onque chantées ne sonnées, et à peine être le pourraient.

De même, Guillaume Des Autels défend, à la même époque, les chansons en ces termes :

> Si l'ode est tant superstitieuse que aucuns la font, c'est à savoir d'être mesurée à la lyre, que l'on ne reçoive point les chants de Pétrarque, si l'on ne nous veut permettre d'en faire comme lui : et ne me saurait-on ôter de la fantaisie que *Laissez la verde couleur* et *Amour avec Psyché*, quelque nom que leur donnent ceux qui veulent bailler des titres aux œuvres d'autrui, sont vraiment œuvres poétiques, bien ornées de figures convenantes à leur sujet : et que plus m'y plaît, en l'une je vois prosopopée, mouvant jusques à tout l'affection de miséricorde : en l'autre une évidence et vive représentation des choses y narrées : qui n'est point encore sans l'imitation de Théocrite, combien qu'il y soit surmonté.

B. L'élégie.

Boileau lui consacre vingt vers dans son *Art poétique* (ch. II, vers 38-57). Du Bellay ne lui consacre — toujours dans le même chapitre de la *Défense* — que ces quelques lignes :

> Distille, avec un style coulant et non scabreux [= rude], ces pitoyables élégies, à l'exemple d'un Ovide, d'un Tibulle et d'un Properce, y entremêlant quelquefois de ces fables anciennes, non petit ornement de la poésie.

Ce texte semble viser, par son insistance sur les modèles latins, Thomas Sébillet, qui écrivait (*l'Art poétique français*, II, VII), après avoir traité de l'épître :

> *L'Élégie.* — L'Élégie n'est pas sujette à telle variété de sujet, et n'admet pas les différences des matières et légèretés communément traitées aux épîtres : ains a je ne sais quoi de plus certain. Car de sa nature l'Élégie est triste et faible, et traite singulièrement les passions amoureuses, lesquelles tu n'as guère vues ni ouïes vides, de pleurs et de tristesse. Et si tu me dis que les épîtres d'Ovide sont vraies épîtres tristes et amoureuses, et toutefois n'admettent le nom d'élégie : entends que je n'exclus pas l'Amour et ses passions de l'Épître, comme tu peux avoir entendu au commencement de ce chapitre en ce que je t'en ai dit. Mais je dis que l'Élégie traite l'Amour, et déclare ses désirs,

424. *Bayes :* fruits. Jeu de mots possible parce qu'à l'époque *olive* désignait aussi bien l'arbre que le fruit de celui-ci.

> ou plaisirs, et tristesses à celle qui en est la cause et l'objet, mais simplement et nuement ou l'épître garde sa forme de superscriptions et souscriptions, et de style plus populaire. Or si tu requiers exemples d'Élégies, propose-toi pour formulaire celles d'Ovide écrites en ses trois livres d'Amour; ou mieux lis les élégies de Marot desquelles la bonne part représente tant vivement l'image d'Ovide qu'il ne s'en faut que la parole du naturel. Prends donc l'élégie pour épître Amoureuse, et la fais de vers de dix syllabes toujours : lesquels tu ne requerras tant superstitieusement en l'épître que tu ne la fasses parfois de vers de huit, ou moindres : mais en l'une et en l'autre retiens la rime plate pour plus douce et plus gracieuse.

L'élégie n'est apparue en France, comme l'épigramme, qu'avec Marot, imitant ainsi les Anciens. Quelle raison pousse Sébillet à suggérer plutôt l'imitation de Marot et du Bellay à proposer plutôt le modèle des Latins du siècle d'Auguste?

Le *Quintil horatien* exprime un autre point de vue sur l'élégie :

> Tu nous renvoies aussi à ces pitoyables élégies (hélas!) pour, alors que demandons à rire, nous faire pleurer, à la singerie de la passion italienne. Lesquelles sont ouvrages de propre affection, de simple et facile artifice, et de rime plate.

La raison donnée à cette prise de position apparaît dans ce passage :

> Horace t'a enseigné (si tu as voulu) que la poésie est comme la peinture. Or la peinture est pour plaire et réjouir, non pour contrister. Pourquoi la triste Élégie est une des moindres parties de poésie : et aussi la plus aisée, toute plate et plaignante, qui n'apprend rien qu'à pleurer, et jouer le personnage des amoureux et amoureuses,
>
> Des langoureux et langoureuses
> Qui meurent le jour quinze fois.
>
> *(Quintil horatien.)*

C. Le sonnet.

Thomas Sébillet consacre au sonnet l'un des chapitres les plus courts de son *Art poétique français* (II, II). C'est le premier art poétique qui traite de ce genre poétique, introduit en 1536 par Marot, adopté peu après par Mellin de Saint-Gelais et Peletier.

> *Qu'est Sonnet.* — Le Sonnet suit l'épigramme de bien près, et de matière, et de mesure. Et quand tout est dit, sonnet n'est autre chose que le parfait épigramme de l'Italien, comme le dizain du Français. Mais parce qu'il est emprunté par nous de l'Italien, et qu'il a la forme autre que nos épigrammes, m'a semblé meilleur le traiter à part.

Matière de Sonnet. — Or pour en entendre l'énergie, sache que la matière de l'épigramme et la matière du sonnet sont toutes unes, fors [= sauf] que la matière facétieuse est répugnante à la gravité du sonnet, qui reçoit plus proprement affections et passions graves, même chez le prince des Poètes Italiens, duquel l'archétype des sonnets a été tiré.

Qu'est uniformité en Rime. — La structure en est un peu fâcheuse : mais telle que de quatorze vers perpétuels au Sonnet, les huit premiers sont divisés en deux quatrains uniformes, c'est-à-dire, en tout se ressemblant de rime : et les vers de chaque quatrain sont tellement assis que le premier symbolisant avec le dernier, les deux du milieu demeurent joints de rime plate. Les six derniers sont sujets à diverse assiette : mais plus souvent les deux premiers de ces six fraternisent en rime plate. Les 4 et 5 fraternisent aussi en rime plate, mais différente de celle des deux premiers, et le tiers et sixième symbolisent aussi en toute diverse rime des quatre autres, comme tu peux voir en ce sonnet de Marot.

Au ciel n'y a ni Planète ni signe,
Qui si a point sut gouverner l'année,
Comme est Lyon la cité gouvernée
Par toi, Trivulse, homme clerc[425] et insigne
Cela disons pour la vertu condigne
Et pour la joie entre nous démenée
Dont tu nous a la liberté donnée
Ta liberté des trésors la plus digne.
Heureux vieillard, ces gros tabours tonnants,
Le mai planté, et les fifres sonnants
En vont louant toi, et ta noble race;
Or pense donc que sont nos volontés
Vu qu'il n'est rien jusqu'aux arbres plantés
Qui ne t'en loue, et ne t'en rende grâce.

Autrement ces six derniers vers se varient en toutes les sortes que permettent analogie et raison, comme tu verras en lisant les sonnets faits par les savants Poètes plus clairement que règle ni moi ne te pourrions montrer.

Quels vers requiert le Sonnet. — Tant y a que le sonnet aujourd'hui est fort usité, et bien reçu pour sa nouveauté et sa grâce et n'admet suivant son poids autre vers que dix syllabes.

◆ Du Bellay (*Défense*, II, IV) accorde une importance évidemment assez grande au sonnet :

Sonne-moi ces beaux sonnets, non moins docte que plaisante invention italienne, conforme de nom à l'ode, et différente

425. *Clerc* : célèbre.

d'elle seulement, pour ce que le sonnet a certains vers réglés et limités : et l'ode peut courir par toutes manières de vers librement, voire en inventer à plaisir à l'exemple d'Horace, qui a chanté en dix-neuf sortes de vers, comme disent les grammairiens. Pour le sonnet donc tu as Pétrarque et quelques modernes italiens. Chante-moi d'une musette bien résonnante et d'une flûte bien jointe ces plaisantes églogues rustiques, à l'exemple de Théocrite et de Virgile, marines à l'exemple de Sennazar gentilhomme napolitain. Que plût aux Muses, qu'en toutes les espèces de poésies que j'ai nommées nous eussions beaucoup de telles imitations, qu'est cette églogue sur la naissance du fils de Monseigneur le Dauphin, à mon gré un des meilleurs petits ouvrages que fit oncques[426] Marot.

L'auteur du *Quintil horatien*, qui s'était élevé contre le mépris affiché par du Bellay à l'égard des vieux genres français, se montre agressif à l'endroit d'un genre importé de l'Italie. Peut-on dire qu'il a saisi l'originalité et la qualité esthétique du sonnet?

Sonnez-lui l'antiquaille. Tu nous as bien induit à laisser le blanc pour le bis, les ballades, rondeaux, virelais et chants royaux, pour les sonnets, invention (comme tu dis) italienne. De quoi (si à Dieu plaît) ils sont beaucoup plus à priser. Et certes ils sont d'une merveilleuse invention (à bien les considérer) et très difficiles, comme d'un huitain bien libre, à deux ou à trois cadences [chutes de vers et, partant, rimes], et un sizain, à autant d'unisonnances, ou croisées ou entreposées si abandonnéement et dérégléement, que le plus souvent en cinq vers sont trois rimes diverses, et la rime du premier rendue finalement au cinquième. Tellement que en ayant le dernier, on a déjà perdu le son et la mémoire de son premier unisonnant, qui est déjà à cinq lieues de là. Voilà une brave poésie, pour en mépriser et dédaigner toutes les autres excellentes françaises, si conjointes en leurs croisures qu'elles ne laissent jamais perdre et loin voler le son de leur compagne, encore demeurant en l'oreille, et en l'*e* finit plus d'un vers, ou deux au plus, et ce en double croisure et entreposée quaternaire [disposition par quatre]. Outre ce, au lieu de défendre et illustrer notre langue (comme tu le promets), tu nous fais grand déshonneur, de nous renvoyer à l'italien, qui a pris la forme de sa poésie des Français, et en laquelle il est si pauvre, qu'il ne tombe guère jamais que en *a* et *o* si licencieux, qu'il use de mots et coupes, divisions et contractions à l'étrivière. *(Quintil horatien.)*

---

426. Jamais.

3. LES GRANDS GENRES

3.1. L'ÉPOPÉE

A. Le XVIe siècle français.

◆ Du Bellay consacre le chapitre v du livre II de sa *Défense* au « long poème français », c'est-à-dire à l'épopée.

On analysera, dans les extraits que nous en donnons, la conception que s'en fait l'auteur et l'intention qu'il a en proposant ce genre. On rapprochera du Bellay sur ce point de tous ceux qui le suivent, en tenant compte du fait que cet auteur est le premier en France à suggérer aux poètes d'écrire une épopée.

Donc, ô toi, qui doué d'une excellente félicité de nature, instruit de tous bons Arts et Sciences, principalement naturelles et mathématiques, versé en tous genres de bons auteurs grecs et latins, non ignorant des parties et offices de la vie humaine, non de trop haute condition, ou appelé au régime public, non aussi abject et pauvre, non troublé d'affaires domestiques, mais en repos et tranquillité d'esprit, acquise premièrement par la magnanimité de ton courage, puis entretenue par ta prudence et sage gouvernement, ô toi (dis-je) orné de tant de grâces et perfections, si tu as quelquefois pitié de ton pauvre langage, si tu daignes l'enrichir de tes trésors, ce sera toi véritablement qui lui fera hausser la tête, et d'un brave sourcil s'égaler aux superbes langues grecque et latine, comme a fait de notre temps en son vulgaire un Arioste italien, que j'oserais (n'était la sainteté des vieux poèmes) comparer à un Homère et Virgile. Comme lui donc, qui a bien voulu emprunter de notre langue les noms et l'histoire de son poème, choisis-moi quelque un de ces beaux vieux romans français, comme un *Lancelot*, un *Tristan*, ou autres : et en fais renaître au monde un admirable *Iliade* et laborieuse *Énéide*. [...]

Quelqu'un (peut-être) trouvera étrange que je requierre une si exacte perfection en celui qui voudra faire un long poème, vu aussi qu'à peine se trouveraient, encore qu'ils fussent instruits de toutes ces choses, qui voulussent entreprendre un œuvre de si laborieuse longueur, et quasi de la vie d'un homme. Il semblera à quelque autre, que voulant bailler les moyens d'enrichir notre Langue, je fasse le contraire, d'autant que je retarde plus tôt et refroidis l'étude[427] de ceux qui étaient bien affectionnés à leur vulgaire, que je ne les incite, pour ce que, débilités par désespoir, ne voudront point essayer ce à quoi ne s'attendront de pouvoir parvenir. Mais c'est chose convenable, que toutes choses soient expérimentées de tous ceux qui désirent

427. Sens du mot latin *studium* : zèle, ardeur.

atteindre à quelque haut point d'excellence et gloire non vulgaire. Que si quelqu'un n'a du tout cette grande vigueur d'esprit, cette parfaite intelligence des disciplines, et toutes ces autres commodités que j'ai nommées, tienne pourtant le cours tel qu'il pourra. Çar c'est chose honnête à celui qui aspire au premier rang, demeurer au second, voire au troisième. Non Homère seul entre les Grecs, non Virgile entre les Latins, ont acquis loz [= louanges] et réputation. Mais telle a été la louange de beaucoup d'autres, chacun en son genre, que pour admirer les choses hautes, on ne laissait pourtant de louer les inférieures. Certainement si nous avions des Mécènes et des Augustes, les Cieux et la Nature ne sont point si ennemis de notre siècle, que n'eussions encore des Virgiles. [...]

Or néanmoins quelque infélicité de siècle où nous soyons, toi à qui les Dieux et les Muses auront été si favorables comme j'ai dit, bien que tu sois dépourvu de la faveur des hommes, ne laisse pourtant à entreprendre un œuvre digne de toi, mais non dû à ceux, qui tout ainsi qu'ils ne font choses louables, aussi ne font-ils cas d'être loués. Espère le fruit de ton labeur de l'incorruptible et non envieuse postérité : c'est la gloire, seule échelle par les degrés de laquelle les mortels d'un pied léger montent au ciel et se font compagnons des Dieux.

On rapprochera du texte de Du Bellay les citations suivantes de l'*Art poétique* de Peletier du Mans :

[II, 8]

L'œuvre héroïque est celui qui donne le prix et le vrai titre de poète. Et il est donc d'une telle importance et d'un tel prestige qu'une langue ne peut passer pour célèbre pour les siècles [à venir] si elle n'a pas traité le sujet héroïque que sont les guerres. Nous dirons donc que les autres genres d'écrit sont les rivières et ruisseaux, et l'héroïque une mer, comme une forme et image d'univers : d'autant qu'il n'est matière, tant soit-elle ardue, précieuse, ou excellente en la nature des choses, qui ne s'y puisse apporter et qui n'y puisse entrer.

[II, 8]

Je trouve nos romans bien inventés. Et dirai bien ici en passant qu'en quelques-uns d'iceux bien choisis, le poète héroïque pourra trouver à faire son profit : comme sont les aventures des chevaliers, les amours, les voyages, les enchantements, les combats, et semblables choses : desquelles l'Arioste a fait emprunt de nous, pour transporter en son livre.

◆ Ronsard, en 1572, présente « au lecteur » les quatre premiers livres de *la Franciade*, première des épopées françaises postérieures au Moyen Âge.

Encore que l'Histoire en beaucoup de sortes se conforme à la Poésie, comme en véhémence de parler, harangues, descriptions de batailles, villes, fleuves, mers, montagnes, et autres semblables choses, où le Poète ne doit non plus que l'orateur falsifier le vrai, si est-ce quant à leur sujet ils sont aussi éloignés l'un de l'autre que le vraisemblable est éloigné de la vérité. L'Histoire reçoit seulement la chose comme elle est, ou fut, sans déguisure ni fard, et le Poète s'arrête au vraisemblable, à ce qui peut être, et à ce qui est déjà reçu en la commune opinion. Je ne veux conclure qu'on doive effacer du rang des Poètes un grand nombre de Grecs et Latins, pour honorer d'un si vénérable titre Homère, Virgile, et quelques autres pareils d'invention et de sujet : j'ose seulement dire (si mon opinion a quelque poids) que le poète qui écrit les choses comme elles sont ne mérite tant que celui qui les peint, et se recule le plus qu'il lui est possible de l'historien; non toutefois pour feindre une poésie fantastique comme celle de l'Arioste, de laquelle les membres sont aucunement beaux, mais le corps est tellement contrefait et monstrueux qu'il ressemble mieux aux rêveries d'un malade de fièvre continue qu'aux inventions d'un homme bien sain. Il faut que l'Historien de point en point, du commencement jusqu'à la fin, déduise son œuvre, où le Poète, s'acheminant vers la fin, et redévidant le fuseau au rebours de l'Histoire, porté de fureur et d'art (sans toutefois se soucier beaucoup des règles de grammaire) et surtout favorisé d'une prévoyance et naturel jugement, fasse que la fin de son ouvrage par une bonne liaison se rapporte au commencement. Je dis ceci pour que la meilleure partie des nôtres pense que la Franciade soit une histoire des Rois de France, comme si j'avais entrepris d'être historiographe et non poète : bref, ce livre est un roman, comme *l'Iliade* et *l'Énéide*, où par occasion, le plus brièvement que je puis, je traite de nos Princes, d'autant que mon but est d'écrire les faits de Francion, et non de fil en fil, comme les historiens, les gestes de nos rois. Et si je parle de nos monarques plus longuement que l'art Virgilien ne le permet, tu dois savoir, Lecteur, que Virgile (comme en toutes autres choses en cette-ci) est plus heureux que moi, qui vivait sous Auguste second Empereur, tellement que n'étant chargé que de peu de rois, et de Césars, ne devait beaucoup allonger le papier, où j'ai le faix de soixante et trois rois sur les bras. Et si tu me dis que d'un si grand nombre je ne devais élire que les principaux, je te réponds que Charles, notre Seigneur et Roi, par une généreuse et magnanime candeur, n'a voulu permettre que la bonté des bons, et la malice des mauvais lui fussent comme un exemple domestique, pour le retirer du vice, et le pousser à la vertu. Au reste, j'ai patronné mon œuvre (dont ces quatre premiers livres te serviront d'échantillon) plutôt sur la naïve facilité d'Homère, que sur la curieuse diligence de Virgile, imitant toutefois à mon possible de l'un et de l'autre l'artifice et l'argument plus bâti sur la vraisemblance que sur la vérité; car, pour ne dissimuler ce qu'il m'en semble, je ne saurais croire qu'une armée grecque aie jamais combattu dix ans devant Troie : le combat eût été de trop longue durée, et les chevaliers y eussent perdu le courage, absents si longtemps de leurs femmes, enfants et maisons; aussi que la coutume de la guerre ne permet qu'on combatte si longuement devant une forte ville, en un pays étranger. Et davantage je ne saurais croire que Priam, Hector, Polydame, Alexandre et mille autres tels ayant jamais été, qui ont tous les noms grecs, inventés par Homère : Car, si cela était vrai, les chevaliers Troyens eussent porté le nom de leur pays Phrygien, et est bien aisé à connaître, par les mêmes noms, que la guerre Troyenne a été feinte par Homère, comme quelques graves auteurs ont fermement assuré; les fables qui en sont sorties depuis sont toutes puisées de la source de cet Homère, lequel, comme fils d'un Démon, ayant l'esprit surnaturel, voulant s'insinuer en la faveur et bonne grâce des Eacides, et aussi (peut-être) que le bruit de telle guerre était reçu en la commune opinion des hommes de ce temps-là, entreprit une si divine et parfaite poésie pour se rendre et ensemble les Eacides par son labeur à jamais très honoré. Je sais bien que la plus grande partie des Historiens et Poètes sont du côté d'Homère, mais quant à moi je pense avoir dit la vérité, me soumettant toujours à la correction de la meilleure opinion. Autant en faut estimer de Virgile, lequel, lisant en Homère, qu'Énée ne devait mourir à la guerre Troyenne, et que sa postérité relèverait le nom Phrygien, et voyant que les vieilles annales de son temps portaient qu'Énée avait fondé la ville d'Albe, où depuis fut Rome, pour gagner la bonne grâce des Césars qui se vantaient être sortis d'Iule fils d'Énée, conçut cette divine Énéide qu'avec toute révérence nous tenons encore aujourd'hui entre les mains. Suivant ces deux grands personnages j'ai fait le semblable; car, voyant que le peuple Français tient pour chose très assurée, selon les annales, que Francion fils d'Hector, suivi d'une compagnie de Troyens, après le sac de Troie, aborda aux palus Méotides et de là plus avant en Hongrie, j'ai allongé la toile, et l'ai fait venir en Franconie, à laquelle il donna le nom, puis en Gaule, fonder Paris, en l'honneur de son oncle Pâris. Or il est vraisemblable que Francion a fait tel voyage, d'autant qu'il pouvait le faire, et sur ce fondement de vraisemblance j'ai bâti ma Franciade de son nom : les esprits conçoivent aussi bien que les corps. Ayant donc une extrême envie d'honorer la maison de France, et par surtout le roi Charles neuvième mon prince, non seulement digne d'être loué de moi, mais des meilleurs écrivains du monde, pour ses héroïques et divines vertus, et dont l'espérance ne promet rien de moins aux Français que les heureuses victoires de Charlemagne son aïeul, comme savent ceux qui ont cet honneur de le connaître de près, et ensemble désirant de perpétuer mon renom à l'immortalité, fondé sur le bruit commun, et sur la vieille créance des Chroniques de France, je n'ai su trouver un plus excellent sujet que celui-ci. Or, comme les femmes qui sont prêtes d'enfanter choisissent un bon air, une saine maison, un riche parrain pour tenir leur enfant, ainsi j'ai choisi le plus riche argument, les plus beaux vers et le plus insigne parrain de l'Europe pour honorer mon Livre, et soutenir mon labeur. Et si tu me dis, Lecteur, que je devais composer mon ouvrage de vers Alexandrins, pour ce qu'ils sont pour le jourd'hui plus favorablement reçus de nos seigneurs et Dames de la Cour et de toute la jeunesse Française, lesquels vers j'ai remis le premier en honneur, je te réponds qu'il m'eût été cent fois plus aisé d'écrire mon œuvre en vers Alexandrins qu'aux autres, d'autant qu'ils sont plus longs, et par conséquent moins sujets, sans la honteuse conscience que j'ai qu'ils sentent trop leur prose. Or, tout ainsi que je me les approuve du tout, si ce n'est en tragédies ou versions, aussi je me les veux du tout condamner, j'en laisse à chacun son libre jugement pour en user comme il voudra; je reviens seulement à ce qui touche mon fait. Je ne doute qu'on ne m'accuse de peu d'artifice en ce que la harangue de Jupiter, au commencement de mon premier livre, est trop longue, et que je ne devais commencer par là. Tu dois savoir que trente lignes de latin en valent plus de soixante de notre Français, et aussi qu'il fallait que je me servisse de l'industrie des Tragiques, où, quand le Poète ne peut démêler son dire, et que la chose est douteuse, il fait toujours comparaître quelque Dieu pour éclaircir l'obscur de la matière; les hommes ne savaient comme Francion avait été sauvé du sac de Troie, un seul Jupiter le savait : pource, j'ai été contraint de l'introduire pour mieux dénouer le doute, et donner à comprendre le fait, et même à Junon laquelle est prise ici, comme presque en tous autres Poètes, pour une maligne nécessité qui contredit souvent aux vertueux, comme elle fit à Hercule; mais la prudence humaine est maîtresse de telle violente fatalité. Si tu vois beaucoup de feintes en ce premier livre comme la descente de Mercure, l'ombre d'Hector, la venue à Cybèle, Mars transformé, j'ai été forcé d'en user, pour persuader aux exilés de Troie que Francion était fils d'Hector, lesquels autrement ne l'eussent cru, d'autant qu'ils pensaient que le vrai fils d'Hector était mort, et aussi que Francion avait toujours été assez pauvrement nourri, sans autorité Royale, ni aucun degré de médiocre dignité. Quelque autre curieux en l'œuvre d'autrui me reprendra dequoi je n'ai suivi la parfaite règle de poésie, ne commençant mon livre par la fin, comme faisant embarquer

Francion encore jeune et mal expérimenté : celui doit entendre qu'Helenin son oncle l'avait déjà envoyé, en plusieurs beaux voyages pratiquer les mœurs des peuples et des Rois, et qu'à son retour en Chaonie, où son oncle et sa mère habitaient, fut pressé de partir par la contrainte du destin, imitant en ceci plutôt Apolloine Rhodien[428] que Virgile, d'autant qu'il m'a semblé meilleur de le faire ainsi; et si tu me dis qu'il combat trop tôt, et en trop bas âge, le Tyran Phovère, je te réponds qu'Achille combattit en pareil âge, et renversa les forteresses des alliés de Troie, ayant à peine laissé la robe de femme qu'il portait; son fils Pyrrhe fit de même et beaucoup d'avantage, si nous voulons croire à Quinte Calabrois. Or, Lecteur, pour ne te vouloir trop vendre ma marchandise, ni aussi pour la vouloir trop mépriser, je te dis qu'il ne se trouve point de livre parfait, et moins le mien, auquel je pourrais, selon la longueur de ma vie, le jugement et la sincère opinion de mes amis, ajouter ou diminuer, comme celui qui ne jure en l'amour de soi-même, ni en l'opiniâtreté de ses inventions. Je te supplierai seulement d'une chose, Lecteur : de vouloir bien prononcer mes vers et accommoder ta voix à leur passion, et non comme quelques-uns les lisent, plutôt à la façon d'une missive, ou de quelques lettres Royaux, que d'un poème bien prononcé; et te supplie encore derechef, où tu verras cette marque! vouloir un peu élever ta voix pour donner grâce à ce que tu liras. Bref, quand tu auras acheté mon livre, je ne te pourrai empêcher de le lire ni d'en dire ce qu'il te plaira, comme étant chose tienne; mais, devant que me condamner, tu pourras retenir ce Quatrain par lequel j'ai fermé cette préface pour fermer la bouche à ceux qui de nature sont envieux de bien et de l'honneur d'autrui :

Un lit ce livre pour apprendre,
L'autre le lit comme envieux :
Il est aisé de me reprendre,
Mais malaisé de faire mieux.

Tu excuseras les fautes de l'imprimeur, car tous les yeux d'Argus n'y verraient assez clair, même en la première impression.

B. Le XVIIIe siècle.

◆ Voltaire, auteur d'une épopée intitulée *la Henriade*, publia en 1728 un *Essai sur la poésie épique*, dont nous extrayons le passage suivant :

Quelle sera donc l'idée que nous devons nous former de la poésie épique? Le mot *épique* vient du grec ἐηοσ, qui signifie

---

428. Apollonios de Rhodes : poète et grammairien d'Alexandrie, auteur érudit, éloquent et ingénieux des *Argonautiques* (Petit Larousse).

discours : l'usage a attaché ce nom particulièrement à des récits en vers d'aventures héroïques; comme le mot d'*oratio* chez les Romains, qui signifiait aussi *discours*, ne servit dans la suite que pour les discours d'appareil[429]; et comme le titre d'*imperator*, qui appartenait aux généraux d'armée, fut ensuite conféré aux seuls souverains de Rome.

Le poème épique, regardé en lui-même, est donc un récit en vers d'aventures héroïques. Que l'action soit simple ou complexe; qu'elle s'achève dans un mois ou dans une année, ou qu'elle dure plus longtemps; que la scène soit fixée dans un seul endroit, comme dans *l'Iliade;* que le héros voyage de mers en mers, comme dans *l'Odyssée;* qu'il soit heureux ou infortuné, furieux comme Achille, ou pieux comme Énée; qu'il y ait un principal personnage ou plusieurs; que l'action se passe sur la terre ou sur la mer; sur le rivage d'Afrique, comme dans la *Lusiada*[430], dans l'Amérique, comme dans l'*Araucana*[431]*;* dans le ciel, dans l'enfer, hors des limites de notre monde, comme dans *le Paradis* de Milton[432]; il n'importe : le poème sera toujours un poème épique, un poème héroïque, à moins qu'on ne lui trouve un nouveau titre proportionné à son mérite.

Mais le point de la question et de la difficulté est de savoir sur quoi les nations polies se réunissent, et sur quoi elles diffèrent. Un poème épique doit partout être fondé sur le jugement, et embelli par l'imagination : ce qui appartient au bon sens appartient également à toutes les nations du monde. Toutes vous diront qu'une action une et simple, qui se développe aisément et par degrés, et qui ne coûte point une attention fatigante, leur plaira davantage qu'un amas confus d'aventures monstrueuses. On souhaite généralement que cette unité si sage soit ornée d'une variété d'épisodes, qui soient comme les membres d'un corps robuste et proportionné. Plus l'action sera grande, plus elle plaira à tous les hommes, dont la faiblesse est d'être séduits par tout ce qui est au-delà de la vie commune. Il faudra surtout que cette action soit intéressante, car tous les cœurs veulent être remués; et un poème parfait d'ailleurs, s'il ne touchait point, serait insipide en tout temps et en tout pays. Elle doit être entière, parce qu'il n'y a point d'homme qui puisse être satisfait s'il ne reçoit qu'une partie du tout qu'il s'est promis d'avoir.

Telles sont à peu près les principales règles que la nature dicte à toutes les nations qui cultivent les lettres; mais la machine

---

429. D'apparat; **430.** *Les Lusiades*, de Camoëns (1572). Le poème a pour sujet les découvertes des Portugais ou *Lusitaniens* dans les Indes orientales et pour héros Vasco de Gama; **431.** Poème épique de Alonzo de Ercilla (1533-1596) sur l'expédition entreprise par Philippe II contre les Araucans en Amérique du Sud; **432.** *Le Paradis perdu* de Milton a pour sujet la chute de l'homme (1674).

du merveilleux, l'intervention d'un pouvoir céleste, la nature des épisodes, tout ce qui dépend de la tyrannie de la coutume, et de cet instinct qu'on nomme goût, voilà sur quoi il y a mille opinions, et point de règles générales.

Mais, me direz-vous, n'y a-t-il point des beautés de goût qui plaisent également à toutes les nations? Il y en a sans doute en très grand nombre. Depuis le temps de la renaissance des lettres, qu'on a pris les anciens pour modèles, Homère, Démosthène, Virgile, Cicéron, ont en quelque manière réuni sous leurs lois tous les peuples de l'Europe, et fait de tant de nations différentes une seule république des lettres; mais, au milieu de cet accord général, les coutumes de chaque peuple introduisent dans chaque pays un goût particulier.

Il ne suffit pas, pour connaître l'épopée, d'avoir lu Virgile et Homère; comme ce n'est point assez, en fait de tragédie, d'avoir lu Sophocle et Euripide.

Nous devons admirer ce qui est universellement beau chez les anciens; nous devons nous prêter à ce qui était beau dans leur langue et dans leurs mœurs; mais ce serait s'égarer étrangement que de les vouloir suivre en tout à la piste. Nous ne parlons point la même langue. La religion, qui est presque toujours le fondement de la poésie épique, est parmi nous l'opposé de leur mythologie. Nos coutumes sont plus différentes de celles des héros du siège de Troie que de celles des Américains. Nos combats, nos sièges, nos flottes, n'ont pas la moindre ressemblance; notre philosophie est en tout le contraire de la leur. L'invention de la poudre, celle de la boussole, de l'imprimerie, tant d'autres arts qui ont été apportés récemment dans le monde, ont en quelque façon changé la face de l'univers. Il faut peindre avec des couleurs vraies comme les anciens, mais il ne faut pas peindre les mêmes choses.

L'échec, à peu près total, de toutes les entreprises faites en ce sens, depuis le début du XVIe siècle, s'explique-t-il par cette analyse de Voltaire, dans le même *Essai :*

Il faut avouer qu'il est plus difficile à un Français qu'à un autre de faire un poème épique; mais ce n'est ni à cause de la rime, ni à cause de la sécheresse de notre langage. Oserai-je le dire? c'est que de toutes les nations polies, la nôtre est la moins poétique. Les ouvrages en vers qui sont le plus à la mode en France sont les pièces de théâtre : ces pièces doivent être écrites dans un style naturel, qui approche assez de celui de la conversation. Despréaux n'a jamais traité que des sujets didactiques, qui demandent de la simplicité : on sait que l'exactitude et l'élégance font le mérite de ses vers, comme de ceux de Racine; et lorsque Despréaux a voulu s'élever dans une ode, il n'a plus été Despréaux.

Ces exemples ont en partie accoutumé la poésie française à une marche trop uniforme; l'esprit géométrique, qui de nos jours s'est emparé des belles-lettres, a encore été un nouveau frein pour la poésie. Notre nation, regardée comme si légère par des étrangers qui ne jugent de nous que par nos petits-maîtres, est de toutes les nations la plus sage, la plume à la main. La méthode est la qualité dominante de nos écrivains. On cherche le vrai en tout; on préfère l'histoire au roman; les *Cyrus*, les *Clélie*[433] et les *Astrée*[434] ne sont aujourd'hui lus de personne.

Je me souviens que lorsque je consultai, il y a plus de douze ans, sur ma *Henriade*, feu M. de Malezieu[435], homme qui joignait une grande imagination à une littérature immense, il me dit : « Vous entreprenez un ouvrage qui n'est pas fait pour notre nation; *les Français n'ont pas la tête épique.* » Ce furent ses propres paroles; et il ajouta : « Quand vous écririez aussi bien que MM. Racine et Despréaux, ce sera beaucoup si on vous lit. »

C'est pour me conformer à ce génie sage et exact qui règne dans le siècle où je vis, que j'ai choisi un héros véritable au lieu d'un héros fabuleux; que j'ai décrit des guerres réelles, et non des batailles chimériques; que je n'ai employé aucune fiction qui ne soit une image sensible de la vérité. Quelque chose que je dise de plus sur cet ouvrage, je ne dirai rien que les critiques éclairés ne sachent; c'est à *la Henriade* seule à parler en sa défense, et au temps seul de désarmer l'envie.

C. Victor Hugo, la *Préface de « Cromwell »*.

Après la description du premier âge de l'« humanité » et de sa forme littéraire privilégiée, le lyrisme, l'auteur poursuit :

Cependant, les nations commencent à être trop serrées sur le globe. Elles se gênent et se froissent; de là les chocs d'empires, la guerre[436]. Elles débordent les unes sur les autres; de là les migrations de peuples, les voyages[437]. La poésie reflète ces grands événements; des idées elle passe aux choses. Elle chante les siècles, les peuples, les empires. Elle devient épique, elle enfante Homère.

Homère, en effet, domine la société antique. Dans cette société, tout est simple, tout est épique. La poésie est religion, la religion

---

433. *Le Grand Cyrus* et *Clélie*, romans de Mlle de Scudéry; 434. *L'Astrée*, d'Honoré d'Urfé; 435. *Nicolas de Malezieu* (1650-1729) : homme d'une vaste culture, membre de l'Académie des sciences et de l'Académie française, il avait été un personnage fort en vue à la cour de Louis XIV. Bossuet et Fénelon l'avaient honoré de leur amitié. Après le mariage du duc du Maine, dont il avait été le précepteur, il se fixa à Sceaux, et dépensa ses talents aux divertissements qu'organisait la duchesse; 436. *L'Iliade* (note de V. Hugo); 437. *L'Odyssée* (note de V. Hugo).

est loi. A la virginité du premier âge a succédé la chasteté du second. Une sorte de gravité solennelle s'est empreinte partout, dans les mœurs domestiques, comme dans les mœurs publiques. Les peuples n'ont conservé de la vie errante que le respect de l'étranger et du voyageur. La famille a une patrie; tout l'y attache; il y a le culte du foyer, le culte du tombeau.

Nous le répétons, l'expression d'une pareille civilisation ne peut être que l'épopée. L'épopée y prendra plusieurs formes, mais ne perdra jamais son caractère. Pindare est plus sacerdotal que patriarcal, plus épique que lyrique. Si les annalistes, contemporains nécessaires de ce second âge du monde, se mettent à recueillir les traditions et commencent à compter avec les siècles, ils ont beau faire, la chronologie ne peut chasser la poésie; l'histoire reste épopée. Hérodote est un Homère.

Mais c'est surtout dans la tragédie antique que l'épopée ressort de partout. Elle monte sur la scène grecque sans rien perdre en quelque sorte de ses proportions gigantesques et démesurées. Ses personnages sont encore des héros, des demi-dieux, des dieux; ses ressorts, des songes, des oracles, des fatalités; ses tableaux, des dénombrements, des funérailles, des combats. Ce que chantaient les rhapsodes[438], les acteurs le déclament, voilà tout[439].

On se référera à *la Légende des siècles*, à des poèmes comme *la Fin de Satan* pour étudier dans quelle mesure V. Hugo rénove, avec un certain succès cette fois, cette longue tradition. On tentera d'analyser ce qui, dans le génie de V. Hugo, lui a permis cette relative réussite par opposition avec ses prédécesseurs.

3.2. LA TRAGÉDIE

A. Aristote, Horace et le classicisme.

La Poétique, qu'Aristote rédigea, pense-t-on, à Athènes autour de 334 avant Jésus-Christ, est d'une importance capitale. C'est à cette œuvre que se réfèrent constamment écrivains et théoriciens du XVIIe siècle. Le premier passage cité concerne la *mimésis* (*l'Art poétique*, ch. III, vers 1 à 8), les deux suivants sont à l'origine des règles de l'unité de temps et de l'unité d'action (*ibid.*, vers 145). Aristote ne dit rien de l'unité de lieu : cette règle ne s'imposera qu'au XVIIe siècle, comme une conséquence du principe de la vraisemblance. Le dernier passage, enfin, est la source de toutes les discussions sur la vraisemblance.

---

438. Chanteurs de l'ancienne Grèce qui allaient de ville en ville réciter les œuvres des poètes, surtout d'Homère; **439.** V. Hugo ne pensera pas toujours ainsi : il dira plus tard, avec plus de justesse, dans son *William Shakespeare :* « Le drame grec était profondément lyrique. C'était souvent moins une tragédie qu'un dithyrambe. »

◆ La « mimésis ».

La poésie semble bien devoir en général son origine à deux causes, et deux causes naturelles. Imiter est naturel aux hommes et se manifeste dès leur enfance. L'homme diffère des autres animaux en ce qu'il est très apte à l'imitation et c'est au moyen de celle-ci qu'il acquiert ses premières connaissances et, en second lieu, tous les hommes prennent plaisir aux imitations.

Un indice est ce qui se passe dans la réalité : des êtres dont l'original fait peine à voir, nous aimons à en contempler l'image exécutée avec la plus grande exactitude; par exemple, les formes des animaux les plus vils et des cadavres. (*La Poétique*, chap. IV.)

◆ Le temps et l'action. *Comparaison de la tragédie et de l'épopée :*

... Il y a aussi une différence d'étendue : l'une s'efforce de s'enfermer autant que possible dans le temps d'une seule révolution du soleil, ou ne le dépasse que de peu, tandis que l'épopée n'est pas limitée dans le temps. (*La Poétique*, chap. V.)

Il faut donc que, comme dans les autres arts d'imitation, l'unité de l'imitation résulte de l'unité d'objet, ainsi dans la fable, puisque c'est l'imitation d'une action, que cette action soit une et entière, et que les parties en soient assemblées de telle sorte que si on transpose ou retranche l'une d'elles, le tout soit ébranlé et bouleversé. (*La Poétique*, chap. VIII.)

◆ La vraisemblance chez Aristote.

Il faut préférer l'impossible qui est vraisemblable au possible qui est incroyable; et les sujets ne doivent pas être composés de parties irrationnelles; au contraire, il ne peut rien s'y trouver d'irrationnel, à moins que ce ne soit en dehors de la pièce, comme Œdipe qui ne sait pas comme Laïus est mort. (*La Poétique*, chap. XXIV.)

D'une façon générale, l'impossibilité doit se justifier en considération de la poésie ou du mieux ou de l'opinion commune. Pour ce qui est de la poésie, l'impossible qui persuade est préférable au possible qui ne persuade pas. Et peut-être est-ce impossible qu'il y ait des hommes tels que Zeuxis les peignait, mais il les peint en mieux, car il faut que ce qui doit servir d'exemple l'emporte sur ce qui est. L'opinion commune doit justifier les choses irrationnelles. Ou bien encore on montre que quelquefois ce n'est pas irrationnel, car il est vraisemblable que parfois les choses se passent contrairement à la vraisemblance. (*La Poétique*, chap. XXV, Les Belles Lettres, traduction J. Hardy.)

◆ Horace, *Art poétique* (v. 179-188).

Ou l'action se passe sur la scène, ou on la raconte quand elle est accomplie. L'esprit est moins vivement touché de ce qui lui est transmis par l'oreille que des tableaux offerts au rapport fidèle des yeux et perçus sans intermédiaire par le spectateur. Il est des actes, toutefois, bons à se passer derrière la scène et qu'on n'y produira point; il est bien des choses qu'on écartera des yeux pour en confier ensuite le récit à l'éloquence d'un témoin. Que Médée n'égorge pas ses enfants devant le public, que l'abominable Astrée ne fasse pas cuire devant tous des chairs humaines, qu'on ne voie point Procné se changeant en oiseau ou Cadmus en serpent. Tout ce que vous me montrez de cette sorte ne m'inspire qu'incrédulité et révolte.

◆ Les théoriciens du XVIIe siècle autres que Boileau. Vrai, possible invraisemblable, impossible vraisemblable, invraisemblable... L'abbé d'Aubignac ne retient que le vraisemblable, et Boileau avec lui (*l'Art poétique*, ch. III, vers 47-50).

C'est une maxime générale que le vrai n'est pas le sujet du théâtre parce qu'il y a bien des choses véritables qui n'y doivent pas être vues, et beaucoup qui n'y peuvent pas être représentées : c'est pourquoi Synesius a fort bien dit que la poésie et les autres arts qui ne sont fondés qu'en imitation, ne suivent pas la vérité, mais l'opinion et le sentiment ordinaire des hommes.

Il est vrai que Néron fit étrangler sa mère, et lui ouvrit le sein pour voir en quel endroit il avait été porté neuf mois avant que de naître : mais cette barbarie, bien qu'agréable à celui qui l'exécute, serait non seulement horrible à ceux qui la verraient, mais même incroyable à cause que cela ne devait point arriver [...].

Le possible n'en sera pas aussi le sujet, car, il y a bien des choses qui se peuvent faire, ou par la rencontre des causes naturelles, ou par les aventures de la morale, qui pourtant seraient ridicules ou peu croyables, si elles étaient représentées [...].

Il n'y a donc que le vraisemblable qui puisse raisonnablement fonder, soutenir et terminer un poème dramatique : ce n'est pas que les choses véritables et possibles soient bannies du théâtre : mais elles n'y sont reçues qu'en tant qu'elles ont de la vraisemblance; de sorte que pour les y faire entrer, il faut ôter ou changer toutes les circonstances qui n'ont point ce caractère, et l'imprimer à tout ce qu'on y veut représenter. (*Pratique du théâtre*, II, II [1657].)

Seul le vraisemblable emporte l'adhésion. Or, l'art a pour fin l'instruction du public. Le vraisemblable sera donc préféré au vrai, qui persuade avec moins d'empire : telle est la position de Chapelain.

Quant à la raison qui fait que le vraisemblable plutôt que le vrai est assigné pour partage à la poésie épique ou dramatique, c'est que cet art ayant pour fin le plaisir utile, il y conduit plus facilement les hommes par le vraisemblable qui ne trouve point de résistance en eux, que par le vrai qui pourrait être si étrange et si incroyable qu'ils refuseraient de s'en laisser persuader et de suivre leur guide sur sa seule foi. (*Sentiments sur le Cid* [1638].)

◆ Littérature et peinture. La doctrine exprimée par Boileau ne se limite pas à la seule littérature. Chez les peintres aussi les déclarations sont nombreuses concernant l'imitation, le vrai et le vraisemblable. On aura intérêt à se reporter, pour les questions de doctrines artistiques au XVIIe siècle, au livre de Bernard Teyssèdre : *Roger de Piles et le débat sur le coloris au Siècle de Louis XIV* (Paris, Bibliothèque des Beaux-Arts, 1957). C'est de cet ouvrage que nous extrayons cette déclaration de Sébastien Bourdon sur le sujet :

> Car quelque fidèle que soit la représentation d'une chose qu'on aura vue dans la nature, si, dans sa singularité, elle s'éloigne trop de la vraisemblance, inutilement voudra-t-on la faire recevoir pour vraie; c'est, de plus, un des grands principes, qu'il ne faut rien outrer, et par conséquent la nature n'est pas imitable lorsqu'elle tombe d'elle-même dans le vice. Mais on peut adoucir ce qui paraît trop révoltant dans les effets surnaturels et peu communs que la nature présente; en usant de ce tempérament, ils demeureront toujours assez piquants, et il n'en est aucun dont on ne puisse alors faire usage avec succès et sans la moindre contradiction. (Conférence de S. Bourdon sur la lumière, 9 février 1669.)

◆ Fénelon (*Lettre à l'Académie*, VI) et la vraisemblance.

> Il me semble qu'il faudrait aussi retrancher de la tragédie une vaine enflure, qui est contre toute vraisemblance. Par exemple, ces vers ont je ne sais quoi d'outré :
>
> Impatients désirs d'une illustre vengeance,
> A qui la mort d'un père a donné la naissance,
> Enfants impétueux de mon ressentiment,
> Que ma douleur séduite embrasse aveuglément,
> Vous régnez sur mon âme avecque trop d'empire;
> Durant quelques moments souffrez que je respire,
> Et que je considère, en l'état où je suis,
> Et ce que je hasarde, et ce que je poursuis[440].
>
> M. Despréaux trouvait dans ces paroles une généalogie *des impatients désirs d'une illustre vengeance*, qui étaient les *enfants impétueux* d'un noble *ressentiment*, et qui étaient *embrassés* par une *douleur séduite*. Les personnes considérables qui parlent avec passion dans une tragédie doivent parler avec noblesse et

440. *Cinna* (I, I).

vivacité. Mais on parle naturellement et sans ces tours si façonnés, quand la passion parle. Personne ne voudrait être plaint dans son malheur par son ami avec tant d'emphase.

M. Racine n'était pas exempt de ce défaut, que la coutume avait rendu comme nécessaire. Rien n'est moins naturel que la narration de la mort d'Hippolyte à la fin de la tragédie de *Phèdre*, qui a d'ailleurs de grandes beautés. Théramène, qui vient pour apprendre à Thésée la mort funeste de son fils, devrait ne dire que ces deux mots, et manquer même de force pour les prononcer distinctement :

« Hippolyte est mort. Un monstre envoyé du fond de la mer par la colère des dieux l'a fait périr. Je l'ai vu. » Un tel homme, saisi, éperdu, sans haleine, peut-il s'amuser à faire la description la plus pompeuse et la plus fleurie de la figure du dragon?

> L'œil morne maintenant et la tête baissée,
> Semblaient se conformer à sa triste pensée, etc.
> La terre s'en émeut, l'air en est infecté,
> Le flot qui l'apporta recule épouvanté.

Sophocle est bien loin de cette élégance si déplacée et si contraire à la vraisemblance. Il ne fait dire à Œdipe que des mots entrecoupés; tout est douleur : ἰοὺ..., αἴ..., φεῦ, φεῦ.

C'est plutôt un gémissement ou un cri, qu'un discours : « Hélas! hélas! » dit-il, « tout est éclairci. Ô lumière, je te vois maintenant pour la dernière fois...! Hélas! hélas! malheur à moi! Où suis-je, malheureux? Comment est-ce que la voix me manque tout à coup? Ô fortune, où êtes-vous allée...? Malheureux! malheureux! je ressens une cruelle fureur avec le souvenir de mes maux...! Ô amis, que me reste-t-il à voir, à aimer, à entretenir, à entendre avec consolation? Ô amis, rejetez au plus tôt loin de vous un scélérat, un homme exécrable, objet de l'horreur des dieux et des hommes...! Périsse celui qui me dégagea de mes liens dans les lieux sauvages où j'étais exposé, et qui me sauva la vie! Quel cruel secours! Je serais mort avec moins de douleur pour moi et pour les miens... Je ne serais ni le meurtrier de mon père, ni l'époux de ma mère. Maintenant je suis au comble du malheur. Misérable! j'ai souillé mes parents, et j'ai eu des enfants de celle qui m'a mis au monde[441]! »

C'est ainsi que parle la nature, quand elle succombe à la douleur : jamais rien ne fut plus éloigné des phrases brillantes du bel esprit. Hercule[442] et Philoctète[443] parlent avec la même douleur vive et simple dans Sophocle.

---

441. Sophocle, *Œdipe roi;* **442.** Dans *les Trachiniennes;* **443.** Dans la tragédie qui porte son nom.

B. L'amour dans la tragédie.

Boileau n'admet qu'à regret (ch. III, vers 93 à 102) l'amour dans la tragédie. Le P. Rapin, comme lui, a conscience de l'évolution du goût, mais il s'y plie lui aussi, non sans regretter la grandeur du théâtre grec.

◆ Le P. Rapin.

La tragédie moderne roule sur d'autres principes : peut-être que le génie de notre nation ne pouvait pas aisément soutenir une action sur le théâtre par le seul mouvement de la terreur et de la pitié. Ce sont des machines qui ne peuvent se remuer comme il faut, que par de grands sentiments et par de grandes expressions dont nous ne sommes pas tout à fait si capables que les Grecs. Peut-être aussi que notre nation, qui est naturellement galante, a été obligée par la nécessité de son caractère à se faire un système nouveau de tragédie pour s'accommoder à son humeur [...] nos poètes ont cru ne pouvoir plaire sur le théâtre que par des sentiments doux et tendres : en quoi ils ont peut-être eu quelque sorte de raison. Car, en effet, les passions qu'on représente deviennent fades et de nul goût, si elles ne sont fondées sur des sentiments conformes à ceux du spectateur. C'est ce qui oblige nos poètes à privilégier si fort la galanterie sur le théâtre et à tourner tous leurs sujets sur des tendresses outrées, pour plaire davantage aux femmes, qui se sont érigées en arbitres de ces divertissements et qui ont usurpé le droit d'en décider. On s'est même préoccupé du goût des Espagnols qui font tous leurs chevaliers amoureux. C'est par eux que la tragédie a commencé de dégénérer, qu'on s'est peu à peu accoutumé à voir des héros sur le théâtre touchés d'un autre amour que celui de la gloire et que tous les grands hommes de l'antiquité ont perdu leur caractère entre nos mains. (*Réflexions sur « la Poétique » d'Aristote*, 1674.)

◆ Fénelon, *Lettre à l'Académie*, VI.

Chez les Grecs, la tragédie était entièrement indépendante de l'amour profane. Par exemple, l'*Œdipe* de Sophocle n'a aucun mélange de cette passion étrangère au sujet. Les autres tragédies de ce grand poète sont de même. M. Corneille n'a fait qu'affaiblir l'action, que la rendre double, et que distraire le spectateur dans son *Œdipe*, par l'épisode d'un froid amour de Thésée pour Dircé[444]. M. Racine est tombé dans le même inconvénient en composant sa *Phèdre*[445]. Il a fait un double spectacle, en joignant à Phèdre furieuse Hippolyte soupirant, contre son vrai caractère. Il fallait laisser Phèdre toute seule dans sa fureur.

---

444. Personnage imaginé par Corneille, fille de Jocaste et de Laïus, et qui aime Thésée, prince d'Athènes; **445.** En faisant Hippolyte amoureux d'Aricie.

L'action aurait été unique, courte, vive et rapide. Mais nos deux poètes tragiques, qui méritent d'ailleurs les plus grands éloges, ont été entraînés par le torrent; ils ont cédé au goût des pièces romanesques, qui avaient prévalu[446]. La mode du bel esprit faisait mettre de l'amour partout. On s'imaginait qu'il était impossible d'éviter l'ennui pendant deux heures sans le secours de quelque intrigue galante. On croyait être obligé à s'impatienter dans le spectacle le plus grand et le plus passionné, à moins qu'un héros langoureux ne vînt l'interrompre. Encore fallait-il que ses soupirs fussent ornés de pointes et que son désespoir fût exprimé par des espèces d'épigrammes. Voilà ce que le désir de plaire au public arrache aux plus grands auteurs contre les règles. De là vient cette passion façonnée[447] :

> Impitoyable soif de gloire,
> Dont l'aveugle et noble transport
> Me fait précipiter ma mort
> Pour faire vivre ma mémoire,
> Arrête pour quelques moments
> Les impétueux sentiments
> De cette inexorable envie,
> Et souffre qu'en ce triste jour,
> Avant que de donner ma vie,
> Je donne un soupir à l'amour[448].

On n'osait mourir de douleur sans faire des pointes et des jeux d'esprit en mourant. De là vient ce désespoir si ampoulé et si fleuri :

> Percé jusques au fond du cœur
> D'une atteinte imprévue aussi bien que mortelle,
> Misérable vengeur d'une juste querelle
> Et malheureux objet d'une injuste rigueur[449]...

Jamais douleur sérieuse ne parla un langage si pompeux et si affecté.

M. Racine, qui avait fort étudié les grands modèles de l'antiquité, avait formé le plan d'une tragédie française d'*Œdipe*, suivant le goût de Sophocle, sans y mêler aucune intrigue postiche d'amour, et suivant la simplicité grecque. Un tel spectacle pourrait être curieux, très vif, très rapide, très intéressant. Il ne serait point applaudi; mais il saisirait, il ferait répandre des larmes, il ne laisserait pas respirer, il inspirerait l'amour des vertus et l'horreur des crimes, il entrerait fort utilement dans le dessein des meilleures lois; la religion même la plus

---

446. Allusion à un goût si répandu en France vers 1650, et dont Quinault est l'auteur le plus représentatif; **447.** *Façonnée :* manquant de naturel; **448.** Corneille, *Œdipe*, III, II; **449.** Corneille, *le Cid*, I, X.

pure n'en serait point alarmée; on n'en retrancherait que de faux ornements qui blessent les règles.

4. BOILEAU, CRITIQUE LITTÉRAIRE

4.1. LE MOYEN ÂGE

◆ Du Bellay (*Défense*, II, II) écrit :

De tous les anciens poètes français, quasi un seul, Guillaume de Lauris et Jean de Meung sont dignes d'être lus, non tant pour ce qu'il y ait en eux beaucoup de choses qui se doivent imiter des modernes, comme pour y voir quasi comme une première image de la langue française, vénérable pour son antiquité. Je ne doute point que tous les pères crieraient la honte être perdue[450], si j'osais reprendre ou émender quelque chose en ceux que jeunes ils ont appris : ce que je ne veux faire aussi, mais bien soutiens-je que celui est trop grand admirateur de l'ancienneté, qui veut défrauder les jeunes de leur gloire méritée, n'estimant rien, comme dit Horace, si non ce que la mort a sacré, comme si le temps, ainsi que les vins, rendait les poésies meilleures. Les plus récents, même ceux qui ont été nommés par Clément Marot en un certain épigramme à Salel, sont assez connus par leurs œuvres. J'y renvoie les lecteurs pour en faire jugement. Bien dirais-je que Jean Lemaire de Belges me semble avoir premier illustré et les Gaules et la langue française, lui donnant beaucoup de mots et manières de parler poétiques, qui ont bien servi mêmes aux plus excellents de notre temps.

4.2. LE XVIe SIÈCLE

A. Marot.

Du Bellay (*Défense*, II, I).

Marot me plaît (dit quelqu'un) pour ce qu'il est facile, et ne s'éloigne point de la commune manière de parler : Heroët (dit quelqu'autre) pour ce que tous ses vers sont doctes, graves et élaborés : les autres d'un autre se délectent. Quant à moi, telle superstition ne m'a point retiré de mon entreprise, pour ce que j'ai toujours estimé notre poésie française être capable de quelque plus haut et meilleur style que celui dont nous sommes si longuement contentés.

[*Défense*, II, III].

Mais pour ce qu'en toutes langues y en a de bons et de mauvais, je ne veux pas (Lecteur) que sans élection et jugement tu

450. Épigramme dédaigneuse : tous les vieux crieraient que j'ai perdu toute pudeur.

te prennes au premier venu. Il vaudrait beaucoup mieux écrire sans imitation que ressembler un mauvais auteur : vu même que c'est chose accordée entre les plus savants, le naturel faire plus sans la doctrine que la doctrine sans le naturel. Toutefois, d'autant que l'amplification de notre langue (qui est ce que je traite) ne se peut faire sans doctrine et sans érudition, je veux bien avertir ceux qui aspirent à cette gloire, d'imiter les bons auteurs grecs et romains, voire bien italiens, espagnols et autres, ou du tout n'écrire point, sinon à soi (comme on dit) et à ses muses. Qu'on ne m'allègue point ici quelques-uns des nôtres, qui sans doctrine, à tout le moins non autre que médiocre, ont acquis grand bruit en notre vulgaire. Ceux qui admirent volontiers les petites choses, et déprisent ce qui excède leur jugement, en feront tel cas qu'ils voudront : mais je sais bien que les savants ne les mettront en autre rang, que de ceux qui parlent bien français, et qui ont (comme disait Cicéron des anciens auteurs romains) bon esprit, mais bien peu d'artifice.

◆ Étienne Pasquier, *Recherches de la France* (VI, VI).

Quant à Clément Marot, ses œuvres furent recueillies[451] favorablement de chacun. Il avait une veine grandement fluide, un vers non affecté, un sens fort bon, et encore qu'il ne fût accompagné de bonnes lettres, ainsi que ceux qui vinrent après lui, si n'était-il si dégarni qu'il ne les mît souvent en œuvre fort à propos. Bref, jamais livre ne fut tant vendu que le sien, je n'en excepterai un tout seul de ceux qui ont la vogue depuis lui. Il fit plusieurs œuvres, tant de son invention que traductions, avec un très heureux genius[452]. Mais entre ses inventions je trouve le livre de ses épigrammes très plaisant, et entre ses traductions, il se rendit admirable en celle des cinquante psaumes de David, aidé de Vatable, professeur du roi ès lettres hébraïques, et y besogna de telle main, que quiconque a voulu parachever le psautier n'a pu atteindre à son parangon[453].

◆ Boileau, *Ve Réflexion sur Longin.*

Le vrai tour de l'épigramme, du rondeau et des épîtres naïves ayant été trouvé même avant Ronsard par Marot, par Saint-Gelais et par d'autres, non seulement leurs ouvrages en ce genre ne sont point tombés dans le mépris, mais ils sont encore aujourd'hui généralement estimés : jusque-là même que, pour trouver l'air naïf en français, on a encore quelquefois recours à leur style, et c'est ce qui a si bien réussi au célèbre M. de La Fontaine.

B. Ronsard.

◆ Chapelain écrit à Balzac en 1640 que « Ronsard a du génie »; toutefois, il nuance :

---

451. Accueillies; **452.** Génie naturel; **453.** Perfection.

Ronsard sans doute était né poète autant ou plus que pas un des modernes, je ne dis pas seulement français, mais encore espagnol et italien. Il n'a pas à la vérité les traits aigus de Lucain et de Stace, mais il a quelque chose que j'estime plus, qu'est une certaine égalité nette et majestueuse qui fait le vrai corps des ouvrages poétiques, ces autres petits ornements étant plus du sophiste et du déclamateur que d'un esprit véritablement inspiré par les Muses. Dans le détail, je le trouve plus approchant de Virgile ou, pour mieux dire, d'Homère, que pas un des poètes que nous connaissons; et je ne doute point que, s'il fût né dans un temps où la langue eût été plus achevée et plus réglée, il n'eût pour ce détail emporté l'avantage sur tous ceux qui font ou feront jamais des vers en notre langue. Ce n'est pas que je lui trouve bien des défauts hors de ce feu et de cet air poétique qu'il possédait naturellement, car on peut dire qu'il était sans art [...] : galimatias, barbarismes et paroles de grimoire [...] vers étranges et inintelligibles [...] défaut de jugement [...], c'est un maçon de poésie et il n'en fut jamais architecte [...]. Avec tout cela, je ne le tiens nullement méprisable, et je trouve chez lui, parmi cette affectation de paraître savant, toute une autre noblesse que dans les afféteries ignorantes de ceux qui l'ont suivi, et jusqu'ici, comme je donne à ces derniers l'avantage dans les ruelles de nos dames, je crois qu'on le doit donner à Ronsard dans les bibliothèques de ceux qui ont le bon goût de l'antiquité.

◆ Fénelon écrit (*Lettre à l'Académie*, V) :

Ronsard avait trop entrepris tout à coup[454]. Il avait forcé notre langue par des inversions trop hardies et obscures; c'était un langage cru et uniforme. Il y ajoutait trop de mots composés, qui n'étaient point encore introduits dans le commerce de la nation. Il parlait français en grec, malgré les Français mêmes. Il n'avait pas tort, ce me semble, de tenter quelque nouvelle route, pour enrichir notre langue, pour enhardir notre poésie, et pour dénouer[455] notre versification naissante. Mais, en fait de langue, on ne vient à bout de rien sans l'aveu[456] des hommes pour lesquels on parle. On ne doit jamais faire deux pas à la fois, et il faut s'arrêter, dès qu'on ne se voit pas suivi de la multitude. La singularité est dangereuse en tout : elle ne peut être excusée dans les choses qui ne dépendent que de l'usage.

L'excès choquant de Ronsard nous a un peu jetés dans l'extrémité opposée. On a appauvri, desséché, et gêné notre langue. Elle n'ose jamais procéder que suivant la méthode la plus scrupuleuse et la plus uniforme de la grammaire : on voit toujours

---

454. A la fois et brusquement; **455.** Débarrasser de ce qui tient enchaîné; **456.** Approbation, consentement.

venir d'abord un nominatif substantif qui mène son adjectif comme par la main; son verbe ne manque pas de marcher derrière, suivi d'un adverbe qui ne souffre rien entre deux, et le régime appelle aussitôt un accusatif, qui ne peut jamais se déplacer. C'est ce qui exclut toute suspension de l'esprit, toute attente, toute surprise, toute variété et souvent toute magnifique cadence.

4.3. BOILEAU, JUGE DE SES CONTEMPORAINS

A. Malherbe.

On confrontera l'opinion de Boileau avec celles que nous donnons ci-dessous; on tentera aussi de comprendre ce qui, dans la personnalité et les goûts de Boileau, a motivé son jugement. Enfin, on se demandera en quoi Malherbe pouvait être un symbole pour le classicisme.

◆ *Le Socrate chrétien*, œuvre satirique de Guez de Balzac, contient une caricature de Malherbe[457] dont on ne peut toutefois pas dire qu'elle traduise l'opinion définitive de son auteur sur le poète que salue Boileau de façon aussi éclatante.

Vous vous souvenez du vieux pédagogue[458] de la cour, et qu'on appelait autrefois le Tyran des mots et des syllabes, et qui s'appelait lui-même, lorsqu'il était en belle humeur, le grammairien[459] à lunettes et en cheveux gris. N'ayons point dessein d'imiter ce que l'on conte de ridicule de ce vieux docteur. Notre ambition se doit proposer de meilleurs exemples[460]. J'ai pitié d'un homme qui fait de si grandes différences entre *pas* et *point;* qui traite l'affaire des gérondifs et des participes comme si c'était celle de deux peuples jaloux de leurs frontières. Ce

457. Balzac était étudiant au collège de la Marche à Paris lorsqu'il connut Malherbe, et, probablement, il suivit ses leçons avec Racan à l'hôtel de Bellegarde. Le portrait peu flatteur qu'il donne ici de son ancien maître doit être considéré comme une caricature. Ailleurs, le « restaurateur de la langue française » (c'est ainsi que Malherbe appelait Balzac) sait rendre hommage à celui qui l'a précédé dans cette voie; **458.** Bien que moins péjoratif qu'aujourd'hui, le nom de *pédagogue* est bien dur. Dans une lettre publiée à la suite des œuvres de Malherbe, Balzac disait plus justement : « Il ne put souffrir, après avoir connu l'usage du blé, que nos Français se nourrissent encore de glands. Il leur apprit que le choix des termes et des pensées est la source de l'éloquence, et même que l'heureuse disposition des choses et des mots l'emporte le plus souvent sur les choses et les mots mêmes. Nous devons uniquement à ses leçons cette foule d'écrivains élégants qui font aujourd'hui tant d'honneur à la France »; **459.** « L'incomparable Malherbe, dit ailleurs Balzac, le premier grammairien de France »; **460.** *De meilleurs exemples :* c'est pourtant l'exemple de Malherbe qui a guidé Balzac dans l'entreprise d'épuration du style et on pourrait retourner contre ce dernier ce qu'il disait à son maître (*Lettre* du 15 août 1625) : « Vous m'avouerez seulement que, soutenant mon parti, vous combattez en quelque façon pour votre cause, et que si on dit aujourd'hui que mon style n'est pas bon, on dira demain que vos rimes sont mauvaises. »

docteur en langue vulgaire avait accoutumé de dire que depuis tant d'années il travaillait à *dégasconner* la cour et qu'il n'en pouvait venir à bout. La mort l'attrapa sur l'arrondissement d'une période, et l'an climatérique[461] l'avait surpris délibérant si *erreur* et *doute* étaient masculins ou féminins. Avec quelle attention voulait-il qu'on l'écoutât quand il dogmatisait de l'usage et de la vertu des particules[462]? Croyons-en les anciens Pères, et si vous le voulez, croyons-en même les Pères modernes. Suivons le conseil que le père Léonard Lessius donnait à son ami Juste Lipse[463] : « C'est assez faire l'enfant et s'amuser à ce jeu de mots et de syllabes; il faut vieillir plus sérieusement et dans de plus graves et de plus importantes pensées. » La propriété, la régularité, la beauté même du langage ne doit pas être la fin de l'homme. Il ne faut pas songer aux roses et aux violettes quand la saison de la récolte est venue. (Discours dixième.)

◆ Valincourt, ami de Boileau, a une opinion assez différente de ce dernier sur Malherbe :

> Pour Malherbe, je l'ai toujours regardé par rapport à la poésie comme un excellent facteur d'orgues par rapport à la musique, ayant une grande justesse dans l'oreille, une adresse infinie à accorder ses tuyaux et à en tirer une grande mélodie et rien au-delà, car il est impossible de lire une pièce sérieuse de Malherbe sans éclater de rire à la vue de ses bizarres imaginations. On dit qu'il avait toujours sur la table un Ronsard, dont il avait effacé la moitié; si j'avais un Malherbe, j'en effacerais les trois quarts.

◆ Fénelon porte, dans sa *Lettre à l'Académie* (V), le jugement suivant :

> Me sera-t-il permis de représenter ici ma peine sur ce que la perfection de la versification française me paraît presque impossible? Ce qui me confirme dans cette pensée est de voir que nos plus grands poètes ont fait beaucoup de vers faibles. Personne n'en a fait de plus beaux que Malherbe; combien en a-t-il qui ne sont guère dignes de lui[464]? Ceux mêmes d'entre nos poètes les plus estimables qui ont eu le moins d'inégalité, en ont fait assez souvent de raboteux, d'obscurs et de languissants. Ils ont voulu donner à leur pensée un tour délicat, et il la faut chercher. En retranchant certains vers, on ne retrancherait aucune

---

461. *L'an climatérique :* année critique de la vie, revenant tous les sept ans; **462.** *Particules :* petits mots invariables, comme les prépositions *de*, *par*, etc., les conjonctions *ou*, *ni*..., sur l'emploi desquels Malherbe a en effet donné sa « doctrine » (voir F. Brunot, *la Doctrine de Malherbe*); **463.** *Juste Lipse :* érudit belge (1547-1606); **464.** En 1638, l'Académie avait étudié les *Stances pour le roi allant en Limousin* et avait trouvé à redire à toutes, sauf une.

beauté : c'est ce qu'on remarquerait sans peine, si on examinait chacun de leurs vers en toute rigueur.

B. L'éloge de Molière.

On rapprochera le jugement porté ici de la *Satire II* (vers 1-10) et de l'*Épître VII* (vers 19-38) de Boileau. On tentera de comprendre la dureté relative de Boileau dans *l'Art poétique* en tenant compte de deux faits : l'intention de l'auteur d'un art poétique, l'importance des problèmes de pureté de langue. Sur ce dernier point, on utilisera cette remarque de Bayle : « [Molière] se donnait trop de liberté d'inventer de nouveaux termes et de nouvelles expressions. Il lui échappait même souvent des barbarismes. »

◆ Fénelon (*Lettre à l'Académie*, VII).

Il faut avouer que Molière est un grand poète comique. Je ne crains pas de dire qu'il a enfoncé plus avant que Térence dans certains caractères. Il a embrassé une plus grande variété de sujets. Il a peint par des traits forts presque tout ce que nous voyons de déréglé et de ridicule. Térence se borne à représenter des vieillards avares et ombrageux, de jeunes hommes prodigues et étourdis, des courtisanes avides et impudentes, des parasites bas et flatteurs, des esclaves imposteurs et scélérats. Ces caractères méritaient sans doute d'être traités suivant les mœurs des Grecs et des Romains. De plus, nous n'avons que six pièces de ce grand auteur. Mais enfin, Molière a ouvert un chemin tout nouveau. Encore une fois, je le trouve grand : mais ne puis-je pas parler en toute liberté sur ses défauts?

En pensant bien, il parle souvent mal. Il se sert des phrases les plus forcées et les moins naturelles. Térence dit en quatre mots, avec la plus élégante simplicité, ce que celui-ci ne dit qu'avec une multitude de métaphores qui approchent du galimatias. J'aime bien mieux sa prose que ses vers. Par exemple, *l'Avare* est moins mal écrit que les pièces qui sont en vers. Il est vrai que la versification française l'a gêné; il est vrai même qu'il a mieux réussi pour les vers dans l'*Amphitryon*, où il a pris la liberté de faire des vers irréguliers. Mais, en général, il me paraît, jusque dans sa prose, ne parler point assez simplement pour exprimer toutes les passions.

D'ailleurs, il a outré souvent les caractères : il a voulu, par cette liberté, plaire au parterre, frapper les spectateurs les moins délicats, et rendre le ridicule plus sensible. Mais quoiqu'on doive marquer chaque passion dans son plus fort degré, et par ses traits les plus vifs, pour en mieux montrer l'excès et la difformité, on n'a pas besoin de forcer la nature, et d'abandonner le vraisemblable. Ainsi, malgré l'exemple de Plaute, où nous lisons, *Cedo tertiam*[465], je soutiens contre Molière, qu'un avare qui n'est point fou, ne va jamais jusqu'à vouloir regarder dans la troisième main de l'homme qu'il soupçonne de l'avoir volé.

Un autre défaut de Molière, que beaucoup de gens d'esprit lui pardonnent, et que je n'ai garde de lui pardonner, est qu'il a donné un tour gracieux au vice, avec une austérité ridicule et odieuse à la vertu[466]. Je comprends que ses défenseurs ne manqueront pas de dire qu'il a traité avec honneur la vraie probité[467], qu'il n'a attaqué qu'une vertu chagrine et qu'une hypocrisie détestable[468]. Mais, sans entrer dans cette longue discussion, je soutiens que Platon et les autres législateurs de l'antiquité païenne n'auraient jamais admis dans leur République un tel jeu sur les mœurs.

Enfin, je ne puis m'empêcher de croire avec M. Despréaux que Molière, qui peint avec tant de force et de beauté les mœurs de son pays, tombe trop bas quand il imite le badinage de la Comédie italienne :

> Dans ce sac ridicule où Scapin s'enveloppe,
> Je ne reconnais plus l'auteur du *Misanthrope*[469].

◆ Vauvenargues, au XVIIe siècle, écrira dans ses *Réflexions critiques* ce qui suit :

Molière

Molière me paraît un peu répréhensible d'avoir pris des sujets trop bas. La Bruyère, animé à peu près du même génie, a peint, avec la même vérité et la même véhémence que Molière, les travers des hommes, mais je crois que l'on peut trouver plus d'éloquence et plus d'élévation dans ses peintures.

On peut mettre encore ce poète en parallèle avec Racine. L'un et l'autre ont parfaitement connu le cœur de l'homme; l'un et l'autre se sont attachés à peindre la nature. Racine la saisit dans les passions des grandes âmes; Molière, dans l'humeur et les bizarreries des gens du commun. L'un a joué avec un agrément inexplicable les petits sujets; l'autre a traité les grands avec une sagesse et une majesté touchantes. Molière a ce bel avantage que ses dialogues jamais ne languissent : une forte et continuelle imitation des mœurs passionne ses moindres discours.

---

465. « Fais voir la troisième » (Plaute, *Aulularia*, III, IV); **466.** Allusion précise à Alceste? ou expression d'une opinion générale? **467.** Ariste, de *l'École des maris*. Don Louis, de *Dom Juan*. Cléante, du *Tartuffe*, etc.; **468.** Allusion nette à Alceste du *Misanthrope* et à Tartuffe; **469.** Boileau (*Art poétique*, chant III, vers 309).

JUGEMENTS SUR « L'ART POÉTIQUE »

XVIIe SIÈCLE

L'Art poétique *a eu très vite ses détracteurs. Le contraire étonnerait, si l'on songe aux accents polémiques de certains passages. Le bouillant Desmarets ne pouvait faire mieux que de rabaisser le mérite de son adversaire. Sa dernière remarque ne manque cependant pas de fondement.*

Pour le guérir de sa présomption excessive, il est besoin de lui faire connaître qu'il n'est pas si grand poète qu'il pense; car la parfaite poésie demande tant de talents divers, tant de connaissances et tant d'expériences que ce n'est pas un fruit de la jeunesse. Il faut avoir fait autre chose que des satires avant que de donner des préceptes aux poètes. [...]

On a jugé à propos de défendre la poésie héroïque contre les rêveries d'un tel docteur, et de faire une légère censure de toutes ses satires; car on ne peut donner un autre nom à toutes les œuvres de son recueil, puisqu'il n'y a ni *Épître*, ni *Art poétique*, ni *Lutrin* qui ne soit une satire.

Desmarets,
Défense du poème héroïque,
Préface (1674).

Ce sont encore de profondes inimitiés, liées aux luttes littéraires et aux conflits d'idées et d'intérêts, qui s'expriment sans retenue chez Pradon. Il détestait Racine; et Boileau, l'ami du poète tragique, est enveloppé dans la même haine.

[...] Qu'a-t-il prétendu par son *Art poétique?*
Estropier Horace en style méthodique.
Pour coudre à ses leçons des préceptes nouveaux,
Pourquoi le déchirer et le mettre en lambeaux?
Scaliger et Vida sont maniés de même;
Il les a travestis avec un soin extrême;
Il fait tout ce qu'il peut pour être original;
Mais s'il emprunte bien, qu'il en profite mal!

Pradon,
Épître à Alcandre.

Mais La Bruyère prendra un malin plaisir à prononcer à l'Académie, dans son Discours de réception, *un éloge de Boileau que les Perrault, les Charpentier et les Boyer n'entendirent sans doute pas sans frémir. On le lui fit bien voir.*

Celui-ci passe Juvénal, atteint Horace, semble créer les pensées d'autrui et se rendre propre tout ce qu'il manie; il a, dans ce qu'il emprunte des autres, toutes les grâces de la nouveauté et tout le mérite de l'invention. Ses vers, forts et harmonieux, faits de génie, quoique travaillés avec art, pleins de traits et de poésie, seront lus encore quand la langue aura vieilli, en seront les derniers débris : on y remarque une critique sûre, judicieuse et innocente, s'il est permis du moins de dire de ce qui est mauvais qu'il est mauvais.

La Bruyère,
Discours prononcé à l'Académie française,
le lundi quinzième juin 1693.

XVIIIe SIÈCLE

Voltaire a beau s'insurger parfois contre les prétentions de la raison à vouloir tout régenter, il n'en reste pas moins fidèle au goût classique, et il cite très souvent fort élogieusement Boileau.

Puisque nous avons parlé de la préférence qu'on peut donner quelquefois aux modernes sur les anciens, on oserait présumer ici que *l'Art poétique* de Boileau est supérieur à celui d'Horace [...]. Si vous en exceptez les tragédies de Racine, qui ont le mérite supérieur de traiter les passions et de surmonter toutes les difficultés du théâtre, *l'Art poétique* de Despréaux est sans contredit le poème qui fit le plus d'honneur à la langue française.

Voltaire,
Dictionnaire philosophique,
article « Art poétique » (1764).

*Dans l'*Encyclopédie, *Marmontel distingue le critique supérieur, qui « laisse au génie sa liberté », du critique subalterne qui « l'accoutume au joug des règles ». Il semble bien qu'il ne place Boileau que dans cette seconde catégorie, lui opposant les droits du sentiment et de l'imagination.*

Mais ce que j'aurai le courage d'avancer, c'est que Boileau à qui la versification et la langue sont en partie redevables de leur pureté, Boileau, l'un des hommes de son siècle qui avait le plus étudié les Anciens et qui possédait le mieux l'art de mettre leurs beautés en œuvre, Boileau sur les choses de sentiment et de génie n'a jamais bien jugé que par comparaison. De là vient qu'il a rendu justice à Racine, l'heureux imitateur d'Euripide; qu'il a méprisé Quinault et loué froidement Corneille qui ne ressemblaient à rien; sans parler du Tasse, qu'il ne connaissait point ou qu'il n'a jamais bien senti. Et comment Boileau, qui a si peu imaginé, aurait-il été un bon juge dans la partie de l'imagination ? Comment aurait-il été un vrai connaisseur dans la partie du pathétique, lui à qui il n'est jamais échappé un trait de sentiment dans tout ce qu'il a pu produire?

Marmontel,
Encyclopédie, article « Critique ».

Mais un autre article du même ouvrage est plus louangeur et corrige la sévérité de Marmontel :

S'il est un poème français qui ait droit d'entrer dans l'étude des Belles-Lettres, c'est *l'Art poétique* de Despréaux [...]. Non seulement les jeunes gens doivent le lire, mais l'apprendre par cœur comme la règle et le modèle du bon goût.

Encyclopédie, article « Poétique » (art).

A la fin d'un siècle qui, en dépit des réticences de certains, n'a pas entamé sensiblement le crédit de Boileau, La Harpe publie son Cours de littérature, *où il réaffirme la nécessité des règles pour parvenir au Beau absolu. Boileau y fait figure de maître et de modèle.*

Que ceux qui veulent écrire en vers méditent *l'Art poétique* de l'Horace français. Ils y trouveront marqué d'une main également sûre le principe de toutes les beautés qu'il faut chercher, celui de tous les défauts dont il faut se garantir. C'est une législation parfaite dont l'application se trouve juste dans tous les cas, un code imprescriptible dont les décisions serviront à jamais à savoir ce qui doit être condamné, ce qui doit être applaudi. Nulle part l'auteur n'a mieux fait voir le jugement exquis dont la nature l'avait doué.

La Harpe,
Cours de littérature (1799).

XIXe SIÈCLE

La leçon de La Harpe, et sans doute aussi celle de Voltaire, sera en partie retenue par le jeune Hugo, qui déclare, en parlant des citations qu'il fait de Boileau dans la Préface de 1824 à ses Odes :

Quant aux critiques malveillants qui voudraient voir dans ces citations un manque de respect à un grand nom, ils sauront que nul ne poussa plus loin que l'auteur de ce livre l'estime de cet excellent esprit. Boileau partage avec notre Racine le mérite unique d'avoir fixé la langue française, ce qui suffirait à prouver que lui aussi avait un génie créateur.

Victor Hugo,
Note de la Préface aux *Nouvelles Odes* (1824).

Cependant, cette estime, que le poète romantique continuera d'éprouver jusque dans sa vieillesse à l'égard de l'auteur des Satires, *se nuance lorsqu'il s'agit de définir un goût nouveau :*

Quittez le vieux goût pour le nouveau. Comment perpétuerez-vous la monarchie littéraire de Louis XIV là où sa monarchie politique a disparu? Boileau régnant implique Louvois gouvernant. Ce qui allait à l'œil-de-bœuf ne va pas au continent. Le continent est homme fait. Comment ferez-vous endosser Racine à ce colosse qui a dans la poitrine Dante, Rabelais et Cervantès? Continuez l'esprit français, soit, mais non le goût français. Riez avec Voltaire, mais pas de Shakespeare.

Victor Hugo,
les Marges de William Shakespeare. Le goût
(*Œuvres complètes*, t. XII, Club français du livre; 1969).

Beaucoup, au XIXe siècle, n'étaient pas préparés à sentir comme Hugo, avec la transformation de la société, l'évolution du goût. Un Nisard oppose encore désespérément l'idéal classique à la décadence de son époque. Boileau lui paraît, bien entendu, le porte-parole par excellence du Grand Siècle.

L'Art poétique est quelque chose de plus que l'ouvrage d'un homme supérieur : c'est la déclaration de foi littéraire d'un grand siècle.

Ce serait méconnaître l'esprit de Boileau et la portée de *l'Art poétique* que d'en réduire l'application aux ouvrages de poésie. Les prescriptions de Boileau ne se bornent ni aux pensées qui peuvent s'exprimer en vers, ni au seul langage de la poésie; elles s'étendent à toutes les pensées et à toutes les manières de les exprimer, et, par analogie, à tous les arts dont l'idéal est le vrai. C'est ce qui m'explique pourquoi tous les esprits excellents en tous genres dans notre pays sont d'accord sur Boileau, et comment chaque art y reconnaît en quelque sorte sa règle et sa morale.

L'Art poétique exprime l'instinct de l'esprit français en ce qui touche les choses de l'art; il réduit tout à des principes généraux dont chaque lecteur, selon l'étendue ou la délicatesse de son esprit, tire des conséquences qui forment ce qu'on a, de nos jours, appelé l'esthétique.

D. Nisard,
Histoire de la littérature française, II, VI (1844).

*Mais c'est en lyrique que Lamartine, vieilli et réduit pour vivre à se livrer à la critique, juge les pédagogues de son temps et l'*Art poétique, *en lequel il ne voit qu'un pâle ouvrage didactique.*

Son poème de *l'Art poétique*, froide et prosaïque imitation d'Horace, dont les pédants routiniers de collège prosaïsent et affadissent la mémoire des enfants, est certainement le plus faible de ses ouvrages. C'est le squelette de la poésie, décharné, décoloré, privé de vie et d'âme par un profane anatomiste de l'inspiration. C'était déjà une faute que d'écrire un tel poème; les vers sont faits pour le chant, quelquefois pour la pensée, jamais pour la pédagogie. C'est ce prosaïsme de *l'Art poétique* qui a le plus diminué Boileau dans l'esprit de notre siècle; on se venge de l'ennui qui respire dans ces préceptes rimés en oubliant les vers admirables qui parsèment les *Satires* et les *Épîtres*.

Lamartine,
Cours de littérature, XVI (1860).

Lanson, quant à lui, use dangereusement, pour définir l'esthétique classique, de mots qui eussent mieux convenu pour ses contemporains. Quelle commune mesure en effet entre l'imitation de la nature selon Boileau et les doctrines du naturalisme à la Zola?

La théorie de Boileau est l'expression la plus complète de la littérature classique [...]. Son caractère naturaliste et la condition de la vraisemblance imposée aux écrivains rendent compte de ce qu'ont parfois les œuvres d'un peu sévère et sec dans la forme, et de médiocrement flatteur pour l'imagination [...].

Cette doctrine ne repose pas sur une profonde métaphysique : ce n'est à proprement parler qu'un positivisme littéraire.

Gustave Lanson,
Boileau, ch. VI (1892).

XXe SIÈCLE

Boileau passe difficilement le cap du XXe siècle. En Angleterre, George Saintsbury, dans son Histoire de la critique, *se refusait dès 1902 à voir en lui un bon critique. En Allemagne, E. R. Curtius le déclare un « auteur borné et banal » dans son livre sur* la Littérature européenne et le Moyen Age latin. *Il fallait être Gide pour oser déclarer, au soir de sa vie :*

Ces sages préceptes de Boileau, que l'on nous faisait apprendre par cœur, où venait se cristalliser en alexandrins la tradition classique, il ne serait pas sans intérêt de les reprendre l'un après l'autre, les saisissant par la peau du cou pour les faire passer en justice. De les tenir pour excellents, c'est par quoi je me démode le plus, car aujourd'hui je voudrais qu'on me dise lequel de nos jeunes auteurs en tient compte encore.

André Gide,
Journal, la Pléiade, t. II (24 janvier 1946).

Les critiques universitaires français, Ch. Boudhors, R. Bray, A. Adam, P. Clarac, ont fait beaucoup depuis quelques décennies pour une meilleure connaissance de Boileau. Mais, connaissant mieux l'auteur, ils n'en sont pas moins sévères pour l'Art poétique.

Si l'on réussissait à oublier toute l'histoire posthume de *l'Art poétique*, si l'on ignorait qu'il a été deux siècles durant le code où les Français étaient invités à reconnaître les lois de l'éternelle Raison, il y aurait peut-être bien peu de chose à en dire. Despréaux y fait la preuve qu'il sait mal l'histoire de notre littérature, plus mal sans doute que bon nombre de ses contemporains : mais voilà une vérité qui ne mène pas loin. Il développe un certain nombre de maximes d'une parfaite sagesse. Il recommande aux poètes de s'assurer de leur vocation, de consulter de sages amis, d'être soucieux de clarté et de correction, d'apprendre à varier le ton et de savoir finir à temps, d'avoir toujours sous les yeux les exigences de la droite raison, ou, comme il dit avec les cartésiens, du « bon sens ». Conseils excellents à coup sûr, mais qui en vérité n'apprenaient rien de neuf aux gens de son siècle et n'apportaient point de révélation aux poètes de l'avenir. [...]

Antoine Adam,
Histoire de la littérature française au XVIIe siècle, t. III (1952).

Il sait frapper des formules amies de la mémoire, et, en quelques vers d'une force élégante, résume et tranche parfois de longs débats. Mais que de remplissage aussi et de vaines lapalissades! [...]

On ne sent pas dans *l'Art poétique* cette verve, cette abondance heureuse qui font le prix des meilleures satires. Pour légiférer, Boileau doit forcer son naturel et guinder son style. Ses arrêts, d'ailleurs, ne semblent pas s'accorder avec ses tendances profondes. Sans doute lorsqu'il condamne la préciosité, n'a-t-il qu'à suivre ses goûts de bourgeois réaliste; encore a-t-il toute sa vie admiré Voiture comme un grand poète. Mais on s'étonne qu'un artiste dont les descriptions sont si franches et si peu académiques prône le style noble jusque dans la comédie; l'auteur du *Lutrin* condamne le burlesque et les farces de Molière; l'ami du vrai fait de l'artifice la loi de l'idylle et impose à l'épopée les fictions mythologiques; l'auteur des *Héros de roman* « consent » (à contrecœur, il est vrai) que l'amour soit le sujet presque unique de la tragédie.

Pierre Clarac,
Boileau (1964).

SUJETS DE DEVOIRS ET D'EXPOSÉS

● L'histoire de la langue et de la littérature dans *l'Art poétique.*

● Boileau et l'imitation des Anciens.

● Les démêlés de Boileau avec les Modernes.

● Boileau et Corneille, Molière, Racine et La Fontaine.

● Les jugements que Boileau a portés sur ses contemporains ont-ils été ratifiés par la postérité?

● Dites quelles théories de *l'Art poétique* ont vieilli et quels préceptes vous semblent encore valables.

● La conception de la langue et du style, et la langue et le style de Boileau dans *l'Art poétique.*

● Le goût de Boileau.

● Comparez la conception que se fait Boileau du poète dans *l'Art poétique* et la conception que s'en sont faite les romantiques.

● De tous les jugements portés sur Boileau, lequel vous paraît le plus juste? Pourquoi?

● Dans quelle mesure *l'Art poétique* exprime-t-il les conceptions des contemporains de Boileau sur les genres dramatiques?

● **Sur les genres :** « Que les genres soient distincts, et aussi que la distinction entre eux doive être maintenue, c'est un article de foi général du néo-classicisme. Mais si nous examinons la critique néo-classique en ce qui concerne sa définition du genre ou sa méthode pour distinguer un genre d'un autre genre, nous trouvons peu de cohérence ou même peu de conscience du besoin d'un critère rationnel. Boileau, par exemple, introduit dans sa poétique la pastorale, l'élégie, l'épigramme, la satire, la tragédie, la comédie et l'épopée; pourtant Boileau ne définit pas la base de cette typologie (peut-être parce qu'il considère que cette typologie elle-même n'est pas une construction rationnelle, mais un donné de l'histoire). Est-ce que ses genres sont différenciés par leur sujet, leur étendue, la forme de leurs vers, leur ton, leur structure, leur *Weltanschauung,* ou leur public? Personne ne peut répondre à cette question. » (René Wellek et A. Warren, *la Théorie littéraire.*) En vous servant des critères énumérés par les critiques américains, analysez les chants II et III de *l'Art poétique.* Par quoi Boileau a-t-il justifié la distinction des genres? Appréciez la portée de son explication pour le problème général posé par les critiques cités.

● **Sur le burlesque et l'évolution des genres.**

Expliquez et discutez cette réflexion de Valery Larbaud : « Le burlesque, considéré comme un « genre » et un genre « bas » par Boileau, s'enrichit et triomphe avec le Romantisme. Entre beaucoup des meilleures pages ou des plus beaux poèmes de V. Hugo et l'idée qu'on se faisait du burlesque au XVIIe siècle, il y a une parenté évidente, de même qu'entre le fatras et la lyrique moderne de Shelley à Rimbaud. » *(Jaune, bleu, blanc.)*

● **Sur la raison et les artistes du XVIIe siècle.**

« Avec Lebrun, et dans une certaine mesure avec Boileau, la raison a cessé d'être une faculté créatrice et elle est devenue un ensemble de règles qui limitent l'imagination. Avec Poussin, elie a encore quelque chose du feu héraclitéen et elle est l'impulsion à laquelle les œuvres d'art doivent leur existence. » A partir de *l'Art poétique* et de ce que vous connaissez des œuvres et des écrits des peintres Poussin et Lebrun, expliquez et discutez cette opinion du grand critique d'art anglais Anthony Blunt dans son livre, *Nicolas Poussin.* (Comparez par exemple les peintures pastorales de Poussin à la conception de l'idylle chez Boileau.)

● **Sur le vrai et le vraisemblable :** *1° Un théoricien.*

Un critique contemporain conclut, au terme d'une analyse du vraisemblable : « Nous n'hésitons pas à lui donner son vrai nom : celui de convention, de règles du genre. Celles-ci se travestissent en vraisemblable pour le lecteur contemporain; inversement on ne parle de règles et de conventions que lorsque celles-ci ne sont plus vraisemblables [...]. Les conventions que nous percevons comme telles ne relèvent pas encore du vraisemblable, car elles sont de l'ordre du naturel. Le vraisemblable dont nous sommes contemporains, c'est précisément ce que nous appelons le naturel. [...] Dans le simple présent comme dans le simple passé, cette catégorie ne peut être que niée. Il n'y a que le critique qui s'en serve. » (Tzvetan Todorov, *Qu'est-ce que le structuralisme? Poétique.*) Étudiez l'évolution de la notion de vraisemblable à la lumière de cette analyse, dont vous direz si elle vous paraît confirmée dans tous les cas.

2° Un écrivain. « Un fait de la vie peut être absurde, une œuvre d'art non, pour autant qu'elle soit œuvre d'art. Il s'ensuit que c'est une pure imbécillité que de reprocher à une œuvre d'art son absurdité et son invraisemblance au nom de la vie. Au nom de l'art, d'accord; au nom de la vie, non. »

Comment comprenez-vous cette déclaration de Pirandello dans une *Note au sujet des scrupules de l'imagination?*

TABLE DES MATIÈRES

IMPRIMERIE HÉRISSEY. – 27000 ÉVREUX.
1972-2e — Dépôt légal : Juin 1972. — N° 44103. — N° de série Éditeur 14327.
IMPRIMÉ EN FRANCE *(Printed in France)*. — 870020 G-Janvier 1988.